Elizabeth Hardwick

Herman Melville

Elizabeth Hardwick

Herman Melville

Aus dem Englischen von
Bernhard Robben

Claassen

Die Originalausgabe erschien zuerst 2000 unter dem Titel
Herman Melville, *in der Reihe Penguin Lives*
bei Viking Penguin, New York

Der Claassen Verlag ist ein Unternehmen
der Ullstein Heyne List GmbH & Co. KG, München

ISBN 3-546-00246-6

Satz: Leingärtner, Nabburg
Druck und Bindung: Ebner & Spiegel, Ulm

Für H. L. und der Erinnerung an R. T. S. L.

Inhalt

Walfang

HERMAN MELVILLE: Hört man den Namen,
erklingt der Zauber des Meeres, der weiten, rätsel-
vollen Tiefen, für die tausend Adjektive nicht genügen. Ihr mystisches Beben, die mächtigen Ozeane,
den Persern »heilig«, den Griechen eine Gottheit;
verbotene Meere, Wasserwege zu barbarischen
Ufern – ein Feuerwerk Melvillescher Worte für den
Drang, mehr über die gleißenden Gewässer zu erfahren, über ihre wogende Schönheit und – wenn sie
zürnen – ihre mächtige, trügerische Gleichgültigkeit wider das torkelnde Boot mit seinen glücklosen
Matrosen.

Das Meer und der Wal, der Leviathan, Monarch
der Tiefe, eine übernatürliche Enormität mit un-
geheurem Appetit, »ein Fass Heringe in seinem
Bauch«, haarloser Blubber, waagerechte Flosse –
der Wal selbst, die Verlockung des Wals an sich, sein
Inselleib, »eine verhüllte Erscheinung, ungeheuer
wie ein weißer Schneeberg im Äther«. Wir nehmen
Melville beim Wort, denn er ist der Historiker, der
Biograph des Wals, des Pottwals mit seinen kostba-
ren Fetten, den wertvollen Knochen, des scheuen
Finnwals, des Hyänenwals, des Grönlandwals, des
Schwertwals. Cetologie – eine Herausforderung für

Seele und Geist. Für Melville ist der Wal ein Fisch, kein Säugetier, wie warmblütig der Riese auch sein mag.

Vom Nachdenken über *Wale* zum *Walfang* selbst ist es ein rauer Abstieg, sollte jugendliche Reiselust die Welt durch die Heuer erfahren, diese unheilvolle Dienstverpflichtung. Ein schwimmendes Schlachthaus, eine elende Plackerei, den Wal oder eine zum Blasen auftauchende Herde zu sichten, die an den Schiffsseiten hängenden Boote zu bemannen und sich im brodelnden Wasser mit fliegenden Harpunen und übermenschlicher Anstrengung dem ungestümen Kampf des Wals zu stellen. Gefangen, längsseits festgezurrt, Eimer um Eimer voll Blut, im Wettstreit mit den Haien. Da ist sie, die riesige, sterbende Fracht, tot gleich darauf, das Flensen kann beginnen. Der dicke Blubber wird abgezogen, nicht in Streifen, sondern wie eine Decke. »Da der Walfisch von seinem Speck umhüllt ist wie eine Apfelsine von ihrer Schale, lässt er sich genauso spiralenförmig abschälen... Sekundenlang wallt die Masse bluttriefend hin und her wie vom Himmel heruntergelassen.«

Gefangen, abgehackt, der gigantische, halslose Walkopf; auf einem Walfänger liefert das Köpfen gleichsam die kostbare Krone, das Walrat nämlich, Tonnen von Öl und wohltuendes Ambra; ausgekochtes Öl für Kerzen, Licht in der Dunkelheit; und irgendwo in dem Gemetzel, im Gedärm und im Blut, Fischbein für Ahabs Bein, für Mieder, für feines Schnitzwerk, für allerlei Verfeinerungen im Haushalt und für manch edle Düfte. Die zähen Stücke sind zum Verzehr nicht recht geeignet, berichtet uns Melville, obwohl sie von den Jägern der Frühzeit und den Eskimos gegessen wurden, aber auch von Stubbs, dem Zweiten Steuermann auf der *Pequod*, der sich in einem komischen Kapitel mit wahrem Vergnügen über mehrere riesige Walsteaks hermacht.

Der Walfang, die Ausbeutung des toten Tieres, das ist kein jugendliches, romantisches Abenteuer, um Erfahrungen zu sammeln. So viele Kameraden verzogen sich murrend in stille Winkel, Adresse unbekannt, auf und davon vor klagenden Gläubigern, vorwurfsvollen Weibern, wachsamen Polizisten, der Bettelei im Hafen. Nur wenige, etwa jene mit der geschärften Sensibilität eines Melville, blieben Tag und Nacht, Monate, Jahre bei den völlig Zerrütteten, den Ausgestoßenen, den Kranken und Betrunkenen; doch trifft man hier und da auch erfreut auf einen gewöhnlichen Matrosen mit harmlosen Marotten und allerlei Fertigkeiten.

In Melvilles Romanen vor dem *Moby-Dick* hieß anheuern nur allzu bald wieder die Flucht zu planen, mochte sie noch so riskant sein. Der Wal selbst, die Idee des Wals, erreichte seine Apotheose erst mit der imaginären Fahrt der *Pequod*, auf der aus literarischer Notwendigkeit die Umstände des Walfängerlebens eine Art Beförderung erlebten, eine Aufwertung. In einem Kapitel des *Moby-Dick* mit dem Titel »Der Fürsprecher« heißt es:

Zu den Hauptgründen, aus denen die Welt dazu neigt, uns Walfänger zu mißachten, gehört zweifellos Folgender: Bestenfalls, heißt es, sei unser Gewerbe eine Art Schlächterei, und wir steckten bei der Arbeit bis über den Hals im Schmutz. Schlächter sind wir, das ist richtig. Die Generäle aber, welche die Welt von jeher mit Ehren überschüttet hat, sind auch Schlächter, und zwar Schlächter von der allerblutigsten Sorte... Reicht denn das glitschige Durcheinander auf dem Deck eines Walfängers auch nur von fern heran an den unsäglichen Zustand eines Schlachtfeldes? Und dennoch wird der heimkehrende Soldat von allen Damen strahlend empfangen.

Und dann hebt Melville an, die Vorzüge aufzulisten, die der Walfang den Menschen gebracht hat: »Was an Kerzen, Laternen, Lichtern rings um den Erdball brennt, das leuchtet wie von Altären uns zum Ruhm.« Und das Walfangschiff ist ihm Vehikel zur Welterkundung: »Das Pionierschiff, das am weitesten auf den unbekannten Meeren dieser Erde vorstößt, ist seit Jahren der Walfänger. Inseln und Gewässer hat er erkundet, die auf keiner Karte verzeichnet waren, wohin kein Cook und kein Vancouver gelangte.« Und in einer humorigen »Nachschrift« – der Titel ist von ihm – versichert er uns der Vorteile der Pomade, des Haaröls, das dem König bei der Krönungszeremonie auf den Kopf geträufelt wird: »Als wäre es ein Salatkopf... Olivenöl kann's nicht sein, Makassaröl ebensowenig, weder Rizinusöl noch Tran, aber auch nicht Öl aus Bärenfett oder Dorschleber. Was käme also anders in Betracht als das mildeste aller Öle, als unverfälschter, reiner Walrat?«

So ist die Stimmung in *Moby-Dick* und auch auf dem Walfänger *Pequod*, ein Seelenverkäufer und kein Gefährt mit der nüchternen Zielstrebigkeit eines Handelsschiffes. Aufgabe ist es – wenn auch unter Kapitän Ahab eher Nebensache, falls überhaupt –, die Fässer mit Öl zu füllen und mit der Heuer für Haushalt und Familie nach Nantucket heimzukehren. Es ist eine Fahrt zur Begleichung einer alten Rechnung, es geht um den Tod des weißen Wals, um Rache oder Vergeltung für das Bein, das er Ahab genommen hat. Eine magische, überaus merkwürdige Geschichte, die obendrein noch ein wenig von der Erhabenheit historischer Könige in der Schlacht ausstrahlt. Anders als in seinen übrigen Seeromanen gibt Melville mit der *Pequod* keine Flucht auf ferne Inseln vor. Der Plot bleibt konzentriert, eine Geschichte des Wals und des Walfangs, mit enzyklopädischem Wissen dargeboten und in einer wilden, unerschöpflichen Sprache geschrieben, die wie die Brandung heranstürmt und so das tödliche Unterfangen ehrt.

»Wenn bei meinem Tode gar meine Erben oder vielmehr meine Gläubiger in meinem Schreibtisch wertvolle Manuskripte finden sollten, dann sei allein dem Walfang Preis und Ehre, denn ein Walfangschiff war meine Schule und meine Universität.« Nicht ganz, nein, ganz und gar nicht. Melville ist der belesenste aller Schriftsteller, ein unermüdlicher Mitternachtsstudent. Alles hat er sich angeeignet und anverwandelt: ob Shakespeare, die Bibel, Sir Thomas Browne, die *Lusiaden* des portugiesischen Dichters Camões, Landes- und Meereskunde, Naturgeschichte oder Zoologie.

Das Kapitel »Cetologie« ist auf pseudo-akademische Weise in Abschnitte über Folio-Wale, Oktav-

Wale und Duodez-Wale untergliedert. Die umfassenden Informationen sind für eine Leserschaft nötig, die nur wenig über Wale und Walfang weiß, und sie dienen demselben belehrenden Zweck wie Zolas Ausführungen über den Bergbau in *Germinal*.

Doch Melvilles Unterricht erfolgt in einer extravaganten, poetischen Sprache, einer überbordenden Sachlichkeit:

> Der Finnwal ist ein Einsiedler. Er scheint die andern Wale zu hassen wie mancher Mensch seine Zeitgenossen. Überaus scheu, zieht er seine Bahn stets allein … Dieser Leviathan scheint der unbesiegbare Kain seines Geschlechts, der den Zeiger einer Sonnenuhr als Zeichen auf dem Rücken trägt.

In den Kommentaren zu Melville findet sich eine beachtliche Gefühlsduselei zu den Themen Segeln und Weltmeere, aber auch zu Melville als seesüchtigem Vagabund, einem an Land aufgewachsenen Jungen, den es in die Ferne zieht. Er wusste es damals noch nicht, doch sollte ihm das Meer seine Kunst liefern, seine Aufgabe; die eigentliche Romantik dieser Landschaft aber, die Sonne auf den Wellen, die Sterne in der Nacht, findet sich fast immer mit der Brutalität des Lebens an Bord vermengt. Und die Kunst, die ihn rettete, die Entdeckung seines Genies, das war für ihn der Hungerleiderweg, ein Buch pro Jahr, manchmal zwei. Kaum anders, als Macaulay das »Schreibspiel« zu Zeiten Doctor Johnsons beschrieb:

Selbst ein Autor, dessen Werke sich durchgesetzt hatten, dessen Werke beliebt waren, etwa ein Autor wie Thomson, dessen *Seasons* in jeder Bibliothek stand, ein Autor wie Fielding, dessen *Pasquin* eine höhere Auflage hatte als jedes andere Theaterstück seit *The Beggar's Opera*, war manchmal froh, wenn er seinen besten Mantel versetzen konnte und dafür genug bekam, um sich Kutteln in einem heruntergekommenen Speisehaus leisten und die Hände nach fettigem Mahl auf dem Rücken eines Neufundländers abstreifen zu können.

Womöglich hätte Melville selbst, obwohl er sich in einem respektablen Haus in Manhattan und auf den üppigen Auen eines netten Städtchens im Westen von Massachusetts abplagte, mit seiner obskuren, nie völlig angepassten Art ein Leben mit dem Neufundländer im heruntergekommenen Speisehaus bevorzugt.

New York

Der Dichter der Meere, der mit frischem Blick Schiffe und verzauberte Inseln betrachtet, der natürlich, aber auch der im Sarg des Wilden angespülte Ismael, der einzige Überlebende. Und so viel hat über die Jahre, mehr als ein Jahrhundert lang, von diesem Schriftsteller verschüttet gelegen, dass man *armer Melville* denkt, kommt einem dieser verschwenderische Wohltäter unserer Literatur in den Sinn.

Ein desperater Ton dämpft die große Energie seiner Gedanken und seiner Phantasie. Eine wehmütige Würde kennzeichnet sein Leben, sein Wesen, und in den Büchern manchmal eine verblüffende Preisgabe aller Schicklichkeit. Er war kein talentierter Phönix, der aus den Straßen aufstieg, den Slums der großen Metropole Manhattan. Vielmehr stammte er aus einer typischen amerikanischen Mittelstandsfamilie seiner Zeit. Doch reichten in seiner Jugend die Mittel oft nicht aus und langten nur selten für jemanden, der zehn Romane in elf Jahren veröffentlichte, bis er es aufgab, um unten in der Battery noch neunzehn Jahre als Zollinspektor zu arbeiten, ehe er dann im Alter von zweiundsiebzig Jahren starb.

Es hat schlechtere Schriftsteller gegeben, die jünger als Melville starben; *armer Melville* ist tatsächlich nicht bloß ein Seufzer des Geldeintreibers an der Tür, ein Seufzer über die Vernachlässigung seines Werkes, er gehört auch zu unserem Bild von Melville als einem gequälten, unvergesslichen Menschen. Wer war er? Gottlos oder Gottsucher? Mystiker oder Realist? Geborener Ehrenmann und Vater oder jemand, der im Meer homoerotischer Sehnsüchte trieb? Enttäuscht, ruhelos oder dem Irresein nahe? Die großartige Phantasmagorie *Moby-Dick*: Wer kann letztlich Melvilles sämtliche Absichten kennen, die zur Entstehung von Kapitän Ahab und dem Weißen Wal führten, diesen wilden Gladiatoren?

Er ist schwer fassbar, die bekannten Tatsachen seines Lebens bilden bloß einen Rahmen, wie sie es womöglich für die geehrten, häufig studierten Toten, aber auch für die Unbedeutenden tun. Dieser oft unglückliche Mann hat viele glückliche Tage gekannt, oder muss es heißen, dass dieser mehr oder weniger gesetzte Herr Phasen der Verzweiflung durchlebte? Stimmt alles, wenn man so will. Da gab es einen Kamin und einen Esstisch, die bewundernswerte Elizabeth Shaw Melville, seine Frau, zwei Söhne und zwei Töchter.

Wir besinnen uns in Vergessenheit geratener Künstler und schätzen ihre Wiederentdeckung, die Wiedergeburt, die manchen in Gestalt neuer Bücher widerfährt, durch Interpretationen, Auslegungen in fast überwältigender Fülle, der Suche nach verborgenen Ecken und Winkeln. Analysen kehren zum Mutterleib zurück oder zur Sehnsucht nach der Liebe des verlorenen Vaters. Gruftgeheimnisse mögen in sprachlichen Zweideutigkeiten ruhen und eine lexikalische Ausgrabung von Wurzeln und interessanten Doppelbödigkeiten verlangen. Um 1920 wurde Melville exhumiert, das ganze Skelett gleichsam in Scheinwerferlicht getaucht, Radarstrahlen verhalfen den Knochen zu sinnlich erfahrbarer Wiedergeburt. Diese anthropologische Anerkennung durch so viele interessierte Leser verschaffte Melville endlich jenen Ehrenplatz, den ihm die frühe, kreative Energie und *Moby-Dick*, die phantastische Explosion seines Genies, eingebracht hatten.

Er ist New Yorker, genau wie Walt Whitman 1819 geboren, und beide starben fast zur gleichen Zeit – Melville 1891, Whitman 1892. Sie sind sich in Manhattan am Ufer nicht mit bardischem Gruß oder sich sonst wie erkennend begegnet, doch schrieb Whitman im *Brooklyn Eagle* wohlwollende Rezensionen über *Taipi* und *Omu*. Die Geburt in der Pearl Street, gleich bei der Battery am Hudson, wo die großen Schiffe anlegten und absegelten, ist ein romantischer Beginn für Melvilles schwierige Karriere. Die Landschaft seiner Kunst wird das offene Meer sein, das um ein Gefängnis wogt, jenes einsame Gefährt unter Segeln mit seiner bunten menschlichen Fracht und dem vermessenen Auftrag, das größte Tier der Erde zu fangen und zu flensen. Es ist eine jugendliche Flucht auf eine Kannibalen-Insel, eine Sklavenschiffmeuterei, ein Fall von Geistesgestörtheit auf offener See mit katastrophalem Ausgang. An Land eine schrecklich normale New Yorker Familie, eine pikareske Maskerade, ein Einzelgänger in einem Büro an der Wall Street.

Zwanzig Jahre lang, von 1846 bis 1866, war es jeden Tag sein Ehrgeiz und seine Pflicht, für sich und seine Familie ein Auskommen zu finden. Anfangs standen ihm die Götter bei, doch verloren sie nach einer Weile das Interesse, wie es die launischen Geister so gern tun. Seine Werke wurden gedruckt, aber er verkaufte mit jedem Jahr weniger Exemplare; er war als Schriftsteller bekannt, wurde aber kaum gelesen. Resignation? Nächtens Gedichte schreiben, ja, doch befand er sich an solchen Abenden oft in einer derart schlimmen Verfassung, dass seine Frau ihn für verrückt hielt und eine Trennung erwog. Sein Sohn Malcolm, der Erstgeborene, hielt sich eine Pistole an den Kopf. Er war achtzehn und hatte durch Alkohol und spätabendliches Ausbleiben, diesen typischen Problemen mit jungen Männern, das Missfallen seines Vaters erregt. Stanwix, der Zweitgeborene, starb drüben in Kalifornien mit fünfunddreißig an Tuberkulose. Und dann der Autor von *Moby-Dick*, der mit siebenundvierzig nicht mehr wie ein träumender Jugendlicher hinaus auf den Hudson schaut, sondern wie ein bestallter Buchhalter in einem Hafenlager, der die Waren abwiegt, um die Steuer zu errechnen.

W. H. Audens Gedicht über Melville:

Doch es war Sturm und blies ihn
Am Kap Hoorn des verdienten Erfolgs vorbei,
Das da ruft: »Dieser Fels ist's Paradies. Hier
    strande«.

Hart Crane: »An Melvilles Grab«. (Das Grab selbst ist unauffällig und befindet sich auf einem Friedhof in der Bronx.)

Kompaß, Quadrant und Sextant erfaßten
Keine ferneren Gezeiten ... Kein Trauergesang
Möge den Matrosen wecken droben in den azur-
nen Höhen.
Diesen sagenhaften Schemen hält allein die See.

Seine Familie: Was die gesellschaftliche Stellung betraf, so war er besser dran als manch anderer Neuengländer der »Blütezeit«. Die Melvilles zählten zu
den angeseheneren Bostoner Familien; und seine
Mutter Maria gehörte jenen Gansevoorts hollän-
discher Herkunft an, die zu Albanys ehrbarsten
Wohltätern gehörten. Trotzdem bleibt die Familiengeschichte recht unausgewogen, besonders auf
Seiten der Melvilles. Das Leben hätte ihnen besser
mitspielen können, muss man bei ihnen doch unwillkürlich an eine besiegte Nation oder eher noch
an gewisse europäische Häuser mit verblassendem
Namen denken, die vom Gang der Geschichte be-
nachteiligt schienen, vielleicht auch infolge mangel-
hafter Anpassung untergingen. Großvater Thomas
Melville heiratete Pricilla Scollay, deren Name zweifellos Bostons Scollay-Square ziert, wie der Name
Gansevoort eine Straße in Downtown Manhattan
benennt, in der Herman arbeitete. Mit einem gewissen Sarkasmus fragte er einmal einen Passanten,
woher der Name stamme. Ihm wurde beschieden,
dass er wohl von einer Familie komme, die hier
einstmals Land gekauft hatte.

Die Melvilles waren eine Bostoner Kaufmanns-
familie, die jene heraldische Ehre für sich beanspruchen konnte, die auch heute noch, zwei Jahrhunderte später, die Stolzen Amerikas zu den

Ahnenforschern treibt: die Teilnahme an der Unabhängigkeitsbewegung. Major Thomas Melville war 1773 unten im Hafen von Boston, enterte gemeinsam mit anderen jungen Männern die Schiffe der Ostindischen Handelsgesellschaft und warf die Teeladungen ins Wasser. Eine Hand voll Teeblätter – oder was man dafür hielt – wurde an die Erben weitergegeben. Dieser Vorfahr, ein Großvater, hatte seinen Abschluss in Princeton gemacht, bei Bunker Hill gekämpft und war zum obersten Zollbeamten des Hafens von Boston ernannt worden. Nachdem er infolge eines Wechsels in der Regierung seinen Posten verlor, gab er sich später offenbar damit zufrieden, die letzten Jahre im Bostoner Zollhaus abzusitzen.

Das Zollhaus, welch schicksalsschweren Klang hat dieses Wort für die amerikanische Literatur. Während seines drei Jahre währenden Dienstes in diesem Etablissement in Salem konnte Hawthorne manch ein amüsantes Porträt jener alten Knaben zeichnen, die hier den Tag verschliefen. Doch waren dies Szenen irrsinniger Langeweile: »Angesichts meiner früheren Vorbehalte gegen Büros und meiner vagen Überlegungen hinsichtlich einer Kündigung glich mein Glück ein wenig dem jenes Menschen, der den Gedanken an Selbstmord erwägt und dem dann völlig gegen jede Hoffnung plötzlich das gute Geschick widerfährt, ermordet zu werden.«

Der alte Major Melville, der ohne jeglichen künstlerischen Ehrgeiz war, schien seine Zeit im Zollhaus mit einigem Humor als eine Art staatlichen Ruhestand aufgefasst zu haben. Er war in Boston ein »Original«, ein Kriegsheld der Revolution, freiwilliger Feuerwehrmann, recht exzentrisch mit Drei-spitz und Kniebundhosen angetan. Daniel Webster hielt die Grabrede. Wie andere Familien, die stolz auf ihre frühe Ankunft in den Vereinigten Staaten waren, mussten aber auch die Melvilles irgendwo hergekommen sein. Ursprünglich stammten sie aus Schottland und konnten beanspruchen, Abkömm-linge des schottischen Adels zu sein, der Familie des Earl of Melvill and Leven nämlich, einer überaus geschätzten Verbindung, wie Allan Melville, Her-mans Vater, oft genug betonte.

Melvilles Mutter war Maria Gansevoort aus Al-bany, Tochter einer alten, vornehmen Siedlerfamilie aus Holland. Colonel Peter Gansevoort, ihr Vater, zählte ebenfalls zu den Helden der Revolution und hatte bei Fort Stanwix gegen die Indianer und die britischen Truppen gekämpft. Das war eine brutale Schlacht, die in den Annalen der Geschichte jedoch meist recht farbenfroh geschildert wird. Joseph Brant, ein zum Christentum bekehrter Häuptling der Mohawk-Indianer, führte seinen Stamm ge-meinsam mit den Briten gegen die Amerikaner. Die Indianer stürmten ein Fort und massakrierten alle Weißen, mussten sich später aber wieder zurückzie-hen. Rachsüchtig setzte Colonel Gansevoort die Dörfer der Indianer in Brand, vernichtete ihre Ernte und vermochte Fort Stanwix zu halten. Dass sie ihren Sohn nach dieser Schlacht benannten, lässt vermuten, dass Herman Melville und seine Frau den Platz ihrer Familie in der Geschichte würdig-ten, auch wenn das Gemetzel auf beiden Seiten den Sieg von Fort Stanwix zu einer etwas zweifelhaften Angelegenheit machte.

Den Gansevoorts erging es besser als den Melvilles, die gleichsam eine genetische Veranlagung für
den finanziellen Ruin zu haben schienen. Nach der
Revolution kamen die Gansevoorts zu Wohlstand,
erhielten Land am Lake George im Staat New York
zugewiesen und heirateten in die Aristokratie von
Hudson Valley ein. Allan Melville, der Vater von
Herman Melville: Als junger Mann wollte er mit
Peter Gansevoort aus Albany und Lemuel Shaw,
einem Bostoner Freund, in den Erwerb von Grund
und Boden investieren. Dass aus den geschäftlichen
Vereinbarungen nichts wurde, gibt einen Vorge-
schmack auf Allans triste finanzielle Biographie,
doch ehelichte er Peters Schwester Maria Gansevoort. Lemuel Shaw, später Oberster Richter am
Supreme Court von Massachusetts, verlobte sich
mit Nancy Melville, der Schwester von Allan, die
jedoch vor der Heirat starb; seine Tochter Elizabeth
sollte später die Frau von Herman Melville werden.
Diese verwandtschaftlichen Verknüpfungen erwiesen sich als ein Glück, auch wenn die Melvilles zu
einer Belastung der Bankkonten der Gansevoorts
und Shaws wurden. Der bemerkenswert freigiebige
und verständnisvolle Richter Shaw war ein wahrer
Wohltäter, ein freundlicher Geist in Hermans Leben. Immer und immer wieder heißt es »Darlehen
von Richter Shaw« oder »bezahlt von Richter Shaw«.

Allan Melville, Hermans Vater, eines von elf
Kindern, scheint ein insgesamt viel versprechender,
netter und gebildeter junger Mann gewesen zu sein.
Er war auf der West Boston School ein guter
Schüler, reiste unter den Fittichen seines älteren
Bruders Thomas nach Paris, um dort ein passables

Französisch zu lernen, und gründete in Albany und Boston eine Firma für den Import von Textilien. In der Annahme, dort besseren Absatz für seine Modewaren finden zu können, zog er von Boston nach New York. Die Familie ließ sich in der Pearl Street nieder, wo Herman geboren wurde. Bald darauf zog sie an eine »bessere Adresse«, die Courtland Street, dann zur Bleeker Street 33. Weitere Kinder, neue Geschäfte, jede Wende begann voller Hoffnung und mit geborgtem Kapital. Harte Zeiten ließen die Nachfrage nach Spitze, Samt und europäischen Stoffen sinken, was dazu führte, dass Allan Melville seine erbarmungslosen Gläubiger nicht bezahlen konnte.

Mark Twain zum Unternehmergeist: Gestern besaß ich keinen Nickel, heute gehören mir eine Million Dollar. Die Familie Melville hegte geschäftliche Träume, die im Amerika der zwanziger Jahre des neunzehnten Jahrhunderts bescheiden genug gewesen sein mochten, denkt man etwa an die wild wuchernde Phantasie, die Mrs. Trollope beim Bau ihres Basars in der Stadt Cincinnati walten ließ. Ein seltsam pompöses Ding war das Gebäude: »in Teilen wie die Moschee St. Athanese in Ägypten«, dazu kunstvolle Kolonnaden und ein Ballsaal »im Stil der Alhambra, dem gefeierten Palast der Maurenkönige in Granada«. Verarmt floh Mrs. Trollope aus dem Land und kehrte nach England zurück, um ein Vermögen mit ihrem Buch *Die heimischen Sitten der Amerikaner* zu verdienen. Ein Racheakt, mag sein, jedenfalls eine Abrechnung mit dem Gedanken, dass sich in den Vereinigten Staaten alles in Gold verwandeln ließe.

Unterdessen wurde Allan Melvilles älterer Bruder Thomas, der ihn nach Paris gebracht und mit der französischen Sprache sowie bedeutenden Europäern seiner Zeit bekannt gemacht hatte, plötzlich aus seinem angenehmen und viel versprechenden Leben gerissen, getreu der Vorliebe seiner Familie, auf dramatische Weise dem Bankrott anheim zu fallen. Thomas hatte sich in der Welt der Pariser Banken einen Namen gemacht und die adoptierte Nichte von Madame Récamiers Gatten geheiratet, sah sich nun aber gezwungen, mit seiner französischen Frau und den sechs Kindern, deren jüngstes mit der Mutter in Pittsfield starb, nach Massachusetts zurückzukehren, um dort die von dem älteren Melville erstandene Farm zu übernehmen. Für den jungen Herman Melville war Pittsfield das Paradies, und später kaufte er – natürlich mit einem Darlehen des Richters Shaw – ein Haus in der Nähe und wohnte dort dreizehn Jahre lang, bevor er nach New York zurückkehrte. *Moby-Dick* wurde in Pittsfield geschrieben, in jenem Haus, das er Arrowhead, also Pfeilspitze, getauft hatte.

Herman Melvilles Onkel Thomas heiratete eine Witwe und zeugte acht Kinder mit ihr, sodass die Farm den Unterhalt von insgesamt dreizehn Kindern sichern musste. Thomas scheint ein rechtschaffener Gutsbesitzer gewesen zu sein, der den Hof anständig bewirtschaftete, doch häuften sich die Darlehen von der Bank, die Hypothekenzahlungen wuchsen an, und die Ernte in ihrer ewigen Unberechenbarkeit fiel oft nicht so aus wie erwartet. Verzweifelte Bitten um neue Darlehen, um die Zinsen alter Schulden zu decken. Der alte Melville und Richter Shaw, die bislang die Verträge unterzeichnet hatten, wollten diesmal von einer finanziellen Rettungsaktion nichts wissen und wurden später folglich von den Banken belangt, doch setzte sich der freundliche Anwalt Daniel Webster für sie ein. Thomas verbrachte vier Monate im Gefängnis, ehe sein Vater nachgab und die Kaution stellte. Diese Vergehen seines Bruder überging Allan Melville gern mit ein paar volltönenden Worten, da sie sich offenbar nicht mit seiner eigenen Lösung des Finanzproblems vertrugen.

Allan und seine Frau Maria, die nun mal in Manhattan wohnten, hatten Rücksicht darauf zu nehmen, dass man in der Stadt nach der Adresse beurteilt wurde, weshalb sie ständig in Bewegung blieben, sozial ebenso wie topographisch. Es musste ein großes Haus am Broadway sein. Maria war nicht umsonst eine Gansevoort, und ihre gesellschaftlichen Rechte und Vorlieben nahm sie sehr ernst. Herman Melville verbrachte seine Jugend damit, von einer guten Adresse an eine bessere zu ziehen, um bald danach mit einer schlechteren vorlieb nehmen zu müssen. Weitere Kinder wurden geboren, dennoch wahrte man in Sachen Anstand ein unsicheres Gleichgewicht und schickte Herman und Gansevoort zur Columbia Grammar School, der besten in der Stadt. Die arrogante Wirklichkeit der Dollars und Cents behielt jedoch schließlich die Oberhand, und die Familie sah sich gezwungen, vor der pekuniären Schande aus New York zu fliehen. Eine Flucht nach Albany, dem Reich der Gansevoorts. Dort versuchte es der Vater mit einem Pelz- und Mützenhandel, hatte aber wie stets zu wenig Kapital. Auch dieses Unterfangen misslang.

Allan Melville fand sein Ende im Alter von fünfzig Jahren unter solch elenden und unglückseligen Umständen, dass sie noch die Trauer um den Tod vergällten. Er zog sich ein heftiges Fieber zu, eine schwere Lungenentzündung mit den entsprechenden Schweißausbrüchen und Delirien. Nach drei Wochen war er tot. Der anhaltende, rasende Fieberwahn ließ seine Pfleger und Besucher glauben, er wäre verrückt geworden und stürbe als Irrer. Eine Lungenentzündung war vor der Entdeckung des Penicillins eine tödliche Krankheit, weshalb wir uns heute fragen müssen, ob man die Tobsuchtsanfälle und Delirien dem klinischen Wahnsinn oder nicht vielmehr der beständigen Desorientierung des Kranken zuschreiben muss.

Als der Vater starb, war Herman Melville dreizehn Jahre alt. Seine frühen Jahre waren vom Elan und der Lebhaftigkeit seiner Geschwister, Vettern und Kusinen und den Reisen mit dem Vater, den Ausflügen zur Farm nach Pittsfield geprägt. Natürlich lässt sich nicht sagen, wie sich die finanziellen Sorgen in der Beziehung zwischen Mann und Frau konkret am heimischen Kamin auswirkten, doch wollten beide sicher den Anschein wahren, sodass die Eltern womöglich wie Verbündete handelten. Maria Gansevoort Melville war allerdings keine sparsame Hausfrau, eher eine namensstolze Verschwenderin, was dem Schwindel erregenden Auf und Ab ihres Schicksals durchaus förderlich gewesen sein dürfte. Gemeinsam trugen sie ihre Sorgen und warteten doch auch mit Zuversicht auf ihre Rettung. Mit den Kaufleuten an der Tür, den Schulrechnungen, der ausstehenden Miete musste Maria

Melville in steter Regelmäßigkeit fertig werden, und zusammen mit Stolz und Hoffnung gab es die Aufregung ums Geld schon zum Frühstück.

Nach dem Tod des Vaters wurden die Probleme der trauernden Familie immer erdrückender. Verschwunden war die emotionale Energie des Vaters, der Kampf ums Kaufen und Verkaufen, das Warten darauf, dass er abends mit Neuigkeiten heimkehrte, und waren es nur die Neuigkeiten von seinen lebhaften Bemühungen, den Bankrott hinauszuzögern. Allan Melville war ein liebenswerter Mann, mitreißend und stets Vertrauen erweckend, sonst hätte er sich kaum derart viele, schlecht beratene Darlehen verschaffen können.

Die Armut der Vornehmen, ein Zustand voller Widersprüche, sich gegenseitig untermauernder Widersprüche. Eine solche Atmosphäre des Besseren wird im Dorfleben von der Erinnerung an Vergangenes geprägt, von Geburt, Wohlstand, ehrenvollem Ansehen, selbst vom charmanten Wesen. Gute Manieren, etwas Silber und das ein oder andere prächtige Möbelstück sind noch geblieben. Doch vor allem das Gefühl, einen Anspruch erheben zu können, dieser verräterische Weggefährte, der zu Schulden verlockt. Alles ist Erwartung und Träumerei. Gewöhnliches Stadtvolk arbeitet, erhält Lohn, fügt dem Haus irgendwann einen Anbau hinzu, kleidet die Kinder besser – eine Art organische Entwicklung, sollte es derlei geben. Melvilles Vater und Mutter scheinen, war die Lage günstig, eher geneigt gewesen zu sein, sich Hals über Kopf wieder jene aussagekräftigen Statussymbole zuzulegen, die sie aus ihrer Vergangenheit kannten – ein besseres Haus, Diener, eine angesehene gesellschaftliche Stellung für die Kinder. Und so war es stets; es widerstrebte ihnen, Ökonomie und Weitblick walten zu lassen. Geiz ist allerdings ebenso unangenehm wie jene Armut, die im alltäglichen Leben nichts anderes als die Realität anzubieten vermag.

In Albany nutzte ihnen der Ruf von Marias Familie bei alten und neuen Gläubigern wenig. Gansevoort Melville, vier Jahre älter als Herman, stieg mit Hilfe einiger Darlehen ins Pelzgeschäft seines Vaters ein, war eine Zeit lang ungewöhnlich erfolgreich und wurde ein stadtbekannter Mann. Doch wie gefangen im schauerlichen Kreislauf steuerte sein Geschäft dem Ruin entgegen, und Gansevoort wurde nach New York geschickt, um dort bei einem Freund zu wohnen und Jura zu studieren. Selbst als die Familie trauerte, blieb ihnen die Last unerbittlicher Rechtsstreitigkeiten nicht erspart. Großvater Melville lebte ein Jahr länger als sein Sohn Allan. Als man sein Testament verlas, wurde bekannt, dass Allans Schulden vom Besitz des Vaters abgezogen worden waren. Dagegen klagten die Gläubiger, wie es nicht anders zu erwarten gewesen war.

In Albany: Pausenlos düstere Wolken über dem Haushalt der Melvilles. Die Witwe und ihre Kinder sahen sich gezwungen, einen Großteil ihrer Möbel und der übrigen Habe zu verkaufen und beschämt in eine billigere Stadt, ins nahe Lansingburgh, zu ziehen. Eine Weile unterrichtete Herman, dann machte er einen Ingenieursabschluss an der Lansingburgh Academy, bekam aber keine Stelle, schrieb ein paar jugendliche Sketche, die in der Lokalzeitung veröffentlicht wurden – und begann schließlich, so könnte man sagen, sein eigentliches Leben. Doch das Leben, das er hinter sich zurückließ, die Tode, die Trauer, die Unwägbarkeiten, die hilflose Liebe eines hilflosen jungen Mannes in einer angeschlagenen Familie, prägten seine Sensibilität ebenso wie der starke Arm des Meeres und die Reiselust, die man so oft anführt, wenn man seine entscheidenden Charakterzüge nennt. 1839 heuerte er als einfacher Kabinensteward auf der *St. Lawrence* an, einem Kauffahrer, der sich auf die einen Monat dauernde Fahrt nach Liverpool begab. Herman Melville war zwanzig Jahre alt.

Redburn

Melvilles Geistesverfassung offenbart sich einige
Jahre später mit kraftvoller Reinheit des Ausdrucks
in dem Roman *Redburn*, seinem wohl anspre-
chendsten und sicher auch persönlichsten Werk. Es
heißt, er habe dieses Buch mehr oder weniger ver-
leugnet, eher mehr als weniger, da er behauptete, es
»wegen einiger Unzen Tabak geschrieben zu haben«. Ob dies eine ernstliche Verkennung seines
eigenen Werkes ist oder ob er sich nach vollbrachter
Tat davon distanzieren wollte, dass er seine frühen
Erfahrungen im Leben ohne die sonst merkliche
Zurückhaltung beschrieben hatte, ist heute nicht
mehr auszumachen. Für den heutigen Leser mag
Redburn, der bekümmerte, den verkommenen, wi-
derwärtigen Männern auf dem Schiff ausgesetzte
Jugendliche mit seinen Wanderungen durch die
Straßen Liverpools um 1830 und seiner Begegnung
mit dem homosexuellen Gauner Harry Bolton von
größerem Interesse sein als die Brotfrucht- und
Kokosnussinsel *Taipi* oder die Nymphe Fayaway.
Doch ist es durchaus angebracht, *Redburn* als Werk
für sich zu betrachten, schließlich wurde der Roman 1849 nach *Taipi*, *Omu* und *Mardi* geschrieben,
zehn Jahre nachdem Herman Melville von Lan-

singburgh aus zu seiner ersten Reise aufgebrochen war.

»Kalt, bitterkalt wie der Dezember und rauh wie seine Stürme schien mir damals die Welt. Es gibt keinen ärgeren Menschenfeind als einen enttäuschten Jungen; und das war ich: ein widriges Geschick hatte die warme Seele aus mir herausgepeitscht.« Melville war kein Junge mehr, als er auf der *St. Lawrence* anheuerte, doch die Erinnerung an seinen Vater und an die letzten Jahre scheint seine tatsächlichen Gedanken zu jener Zeit genau widerzuspiegeln. Verzweiflung, die in Erfahrung, in der Liebe zur Familie wurzelte, aber auch die ungedämmte Angst eines Sohnes inmitten einer Flut von Elend und Unglück hinterlassen Spuren in seinem Charakter und prägen seine Sicht der Dinge. Die ersten Seiten gleichen einem zutiefst anrührenden Gedicht über seinen toten Vater und widmen sich der Erinnerung an die gemeinsamen Abende in New York, den Gesprächen am Kamin über die Städte und Sehenswürdigkeiten Europas, den Schätzen, die Allan von Paris mitgebracht hatte, etwa ein großes Regal mit Büchern, viele auf Französisch, Gemälde und Drucke, Möbel sowie Bilder mit naturgeschichtlichen Darstellungen, darunter ein großer Wal, »mächtig wie ein Schiff, von Harpunen starrend, und drei Boote, die ihm so schnell sie konnten nachsegelten«.

Das Meer, dem die leidenschaftliche Neugier und Sehnsucht des Fahrenden galt: »Mit den Jahren weckte dieses unaufhörliche In-die-Ferne-Schweifen in mir eine unbestimmte prophetische Vorstellung, daß ich vom Schicksal ausersehen sei, eines

Tages ein großer Reisender zu werden, und daß ich, geradeso wie mein Vater abends nach Tisch beim Wein fremde Herren zu unterhalten pflegte, später vor begierigem Publikum meine eigenen Abenteuer erzählen würde.« Lebhaft stand ihm ein kunstvoll verfertigtes, aus Hamburg mitgebrachtes Glasschiff vor Augen. Dieses zauberhafte Schiff sei »an eben dem Tag von seinem hohen Standort herabgekippt, an dem ich von daheim aufbrach, um diese meine erste Seereise anzutreten«. Die Dinge sind zerbrechlich und neigen zu Verunreinigungen und Flecken, skrupellose Schäden des Alltags. Dass aber dieses gläserne Familienjuwel, genannt *La Reine*, so völlig zerschmettert wurde, verleiht dem Ende von Melvilles frühem Leben zusätzlich einen kummervollen und, wenn man so will, auch symbolischen Hauch, falls wir denn diese Seiten als das auffassen, was sie zu sein scheinen, nämlich eine Rekapitulation vergangener Empfindungen.

Nichts ist von Melville so schön beschrieben worden wie die Stimmung früher Trauer in jenem schwermütigen ersten Absatz von *Redburn*. Er erinnert an das außerordentlich ergreifende letzte Wort aus *Moby-Dick*, das Wort: *Waise*.

Erzählt mir nichts von der Bitterkeit des mittleren und späten Lebens; auch ein Junge kann all das fühlen, und noch viel mehr, wenn auf seine junge Seele der Mehltau gefallen ist; und die Frucht, bei anderen erst nach der Reife vernichtet, wird bei ihm in der ersten Blüte und Knospe abgeknickt. Nie wieder können solche Verheerungen gutgemacht werden; sie greifen zu tief und hinterlassen eine Narbe, wie selbst die Luft des Paradieses sie nicht tilgen könnte.

»Nie wieder können solche Verheerungen gutgemacht werden«, die Läuterung durch Erfahrung, der Todeskampf seines Vaters, die Mutter eine verschwenderische Witwe, die eigene Unentschiedenheit, was die künftige Beschäftigung betraf, all diese Bürden schärfen Melvilles frühe Ahnung von der Vieldeutigkeit, dem Chaos des Lebens fast ebenso sehr wie der Holländische Reformierte Calvinismus seiner Mutter, und beides stärkt seine unüberbietbare Sympathie für den Heiden, den Unwissenden, gar für das Böse. Der wie aus einer schwarzen Komödie stammende Untertitel von *Redburn* lautet: *Sohn eines Gentlemans in der Handelsmarine*. Ein Freund, der den Neuling zum Hafen begleitet, bittet den Kapitän, gut auf ihn aufzupassen, da sein Onkel ein Senator sei und der Vater des Jungen den Ozean in dringenden Geschäften oft überquert habe. An Land scheint der Kapitän diese Information mit Wohlwollen aufzunehmen, doch kaum auf See, straft er die unausgegorene Idee des Jungen, ihm in der Kabine einen freundlichen Besuch abstatten zu wollen, mit eisiger Verachtung. Die guten Manieren des jungen Redburn, seine respektable Herkunft sowie die Tatsache, dass er der Sohn eines Melville und einer Gansevoort ist, all dies war von grotesker Bedeutungslosigkeit, denn in Wahrheit wird sein Leben in den Augen der anderen einzig von seiner erbärmlichen Armut und seinen dürftigen, zerlumpten Kleidern bestimmt. Er wird unter Heimweh leiden, doch sind ihm Anonymität und dürftige Verhältnisse gar nicht unwillkommen. Der Ozean ist für ihn Flucht, er steht für keine praktische Entscheidung und bietet keine Arbeit, von der ein junger Mann Geld zur um die Existenz ringenden Familie nach Hause schicken könnte. In Melvilles Seefahrergeschichten wird die Mannschaft sogar meist, kaum ist sie wieder im Hafen, durch die genialen Rechenkünste des Kapitäns und der Schiffseigner um ihren elenden Lohn betrogen. Melvilles erste Reise trug nichts dazu bei, die miserable Lage seiner Familie zu lindern, die immer dann besonders unangenehm wurde, wenn Lebensmittelhändler, Vermieter oder Schneider hartnäckig an ihre Tür klopften.

An Bord der *Highlander*, wie das fiktive Schiff in *Redburn* heißt, gibt es einen Mann namens Jackson, einen der widerlichsten Kerle in Melvilles Werk. Mit besonderem Eifer wird seinethalben ein Vokabular der Verworfenheit eingeführt. Gelb wie Gummigutt, ratzekahl, nur über den Ohren einige Haarbüschel, die wie eine ausgediente Schuhbürste aussehen, die Nase in der Mitte eingedellt, ein schielendes Auge, der reinste Abschaum eines Mannes. Jackson siecht an den Folgen seiner »schändlichen Laster« dahin, einer Geschlechtskrankheit, und ist doch, oder war es zumindest, der beste Matrose an Bord, ein von allen Männern gefürchteter Tyrann, dieser »Wolf oder ausgehungerte Tiger« mit seinem »unergründlichen, heimtückischen, teuflischen Auge«. Seit dem achten Lebensjahr ist er auf See und »hatte in den verrufensten Ecken der Welt jede Art von Ausschweifung und Laster gekostet«. »Mit teuflischem Behagen« pflegt er von seiner Zeit auf einem Sklavenschiff zu

erzählen, auf dem die Sklaven wie »Holzklötze« über-
einander gepackt wurden und wo man »die Erstick-
ten von ihren Fesseln befreit und aus den Lebenden
aussortiert« hatte.

Auf der Rückreise findet Jackson kurz hinter Kap
Hoorn sein Ende. »Nach Luv ausholen!«, befiehlt
er, da spritzt ihm ein Schwall Blut aus den Lungen
und er fällt ins Meer. Diesen zerrütteten Mann hat
Melville mit penibler, sowohl moralischer wie bild-
hafter Genauigkeit dargestellt, den abstoßenden
Körper mit schrecklicher Präzision beschrieben,
doch lautet abschließend seine Ansicht über den
elenden Jackson:

Er war ein Kain der Meere, auf seiner gelblichen
Stirn mit irgendeinem unerforschlichen Fluch ge-
brandmarkt und dazu verdammt, jedes Herz, das
in seiner Nähe schlug, zu verderben und zu ver-
sehren. Und doch schien den Mann mehr noch
Jammer als Schlechtigkeit zu umwittern, und
seine Schlechtigkeit schien nur seinem Jammer zu
entspringen; und trotz aller seiner Scheußlichkeit
war mitunter etwas in seinen Augen, das unsagbar
erbarmenswert und ergreifend war; und wenn es
auch Augenblicke gab, wo ich diesen Jackson beinahe haßte, hat mir doch nie ein Mensch so leid
getan wie er.

Jacksons Jammer, Ahabs Jammer, diese »eng zu-
sammengerollte Schlange«, und Melvilles jammer-
volle Jugend. *Redburn* wurde zehn Jahre nach der
ersten Reise geschrieben, nach der Veröffentlichung
dreier früherer Bücher. Melville kehrte damit zu sei-

ner Reise auf der *St. Lawrence* zurück, machte Redburn aber zu einem Jungen, einem Burschen, einem schäbigen Streuner, obwohl er selbst doch, als er in See stach, bereits zwanzig Jahre zählte und gewiss keinen Grund zu der Annahme hatte, er trage Lumpen wie die Männer, die am Rand des Hafenbeckens entlangschlichen: heimatlos, ungebildet und verbraucht. Doch als Melville zurückschaute, tat er dies als Schriftsteller und beschwor die Figur des Redburn für seinen Roman herauf und für seine Erinnerung an Liverpool, seine erste Stadt in der Fremde. Das Persönliche der ersten Seiten, der Kummer und die Verzweiflung, sind so überwältigend, dass man sie als Erinnerung an den dreizehnjährigen Melville und an den Tod seines Vaters lesen kann. Redburn nimmt den veralteten Stadtführer seines Vaters mit nach Liverpool und durchwandert die Straßen in seinem Angedenken. »Wie anders muß mein Vater da aufgetreten sein; vielleicht in blauem Rock, Lederweste und Schaftstiefeln. Und er hätte sich's nicht träumen lassen, daß einmal ein Sohn von ihm als armer, verlassener Schiffsjunge nach Liverpool kommen würde.« Doch was Melvilles Auge wahrnahm und was sein Verstand dazu sagte, das unterschied sich deutlich von jener herkömmlichen Art der Stadtbesichtigung, wie sein Vater, dieser charmante Dandy, sie absolviert hatte. Redburn nämlich hört zwischen den trübseligen, verfallenen Lagerhäusern in einer Straße namens Launcelott's Hey einen schwachen Jammerlaut, der zu einem ergreifenden Klagelied wird.

In einem Keller unter dem alten Lagerhaus sieht er »den kaum noch kenntlichen Schatten einer Frau«.

An ihrer fahlen Brust liegen zwei ausgemergelte Geschöpfe wie »Kinder«. Sie sind in dieses Loch gekrochen, um zu sterben. Der Seemann erkundigt sich nach diesem schrecklichen Anblick, hartnäckige Fragen, die er den zerlumpten alten Weibern in den Gassen stellt. Die bettelnden Alten, selbst in Not, haben für diese gespenstische Familie, die seit drei Tagen nichts zu essen hat, bloß Verachtung übrig. Ein Polizist zuckt die Achseln, die Wirtin von Redburns Kosthaus weigert sich zu helfen, und als er die Köchin um etwas Essen bittet, macht sie »ein Mordsgezeter«. Redburn schnappt sich ein Brot und einige Brocken Käse und wirft sie hinab ins Gewölbe. Kraftlose Hände greifen danach, sind aber zu schwach. Ein mattes Murmeln verlangt nach etwas, das entfernt wie »Wasser« klingt, und Redburn läuft zu einer Kneipe und bittet um einen Wasserkrug, doch wird ihm der verwehrt, wenn er dafür nicht zahlt, was er nicht kann. In seinem Segeltuchhut holt er Wasser vom Hydranten und kehrt zum Kellerloch zurück.

Die beiden Mädchen tranken gleichzeitig aus dem Hut und sahen mit so starrem, stupidem Ausdruck zu mir auf, daß mir himmelangst wurde. Die Frau sprach kein Wort und rührte sich nicht… Ich versuchte, der Frau den Kopf hochzuheben, aber so schwach sie war, schien sie doch angespannt darauf bedacht, ihn gesenkt zu halten. Ich bemerkte, daß sie die Arme noch immer gegen die Brust preßte; irgend etwas schien unter den Lumpen dort verborgen zu sein, und ein Gedanke durchfuhr mich, der mich zwang, ihr die Hände für einen Augenblick gewaltsam wegzuziehen. Da erblickte ich ein mageres, winziges Geschöpfchen, das mit seinem Unterkörper in einem alten Hut steckte. Sein Gesicht war erschreckend weiß, so schmutzig es auch war; nur die geschlossenen Augen sahen wie indigoblaue Kugeln aus. Es mußte schon seit einigen Stunden tot sein ... als ich zum Mittagessen ging, eilte ich nach Launcelott's Hey und fand das Kellerloch leer. Wo die Frau und die Kinder gewesen, glitzerte jetzt ein Haufen ungelöschten Kalks.

Diese Szene äußerster Tragik wird rhetorisch brillant erzählt: Die sterbenden Kinder mit »Augen und Lippen und Ohren *wie jede Königin*«, mit »Herzen, die zwar nicht von blutvollem Leben durchpulst waren, aber doch noch in jenem dumpfen, teilnahmslosen Schmerz schlugen, der ihr Leben ausmachte«; dann der dramatische Einschub, in dem Redburn den Arm der Mutter beiseite zieht, um noch ein Geschöpf, ein totes Baby, aufzudecken; und bald darauf die Rückkehr, um ein mit *glitzerndem* Kalk gefülltes Loch zu finden. Hier haben wir die Sterbesakramente, den Grabstein für ein Straßenbegräbnis, ein Requiem für ein Loch in der Launcelott's Hey – die majestätische Ehrenbezeugung von Herman Melville.

Redburn sucht die bekannten Sehenswürdigkeiten von Liverpool auf, hört einen Redner der Chartisten auf seiner Seifenkiste und Männer, die Balladen über gerade erst geschehene Morde und andere Ereignisse vortragen; sieht Pfandleihen, die zer-

lumpten Alten, die den Fluss nach etwas Kabel-
garn absuchen, den Strom des Lebens eben, der an
Dickens erinnert und an Mayhews Untersuchung
dieser unbekannten Stadtbevölkerung in *London
Labour and the London Poor*. Überall in Melvilles
Werk findet sich eine Freiheit des Geistes, fehlt aller
vulgäre Aberglaube, ergeben sich immer wieder
Gelegenheiten für den Einschub aufgeklärter Ansichten, so etwa dieser Seitenblick in Liverpool, beschrieben im Jahr 1849:

Drei- oder viermal begegnete ich unserem
schwarzen Steward, wie er fein angezogen Arm
in Arm mit einer gutaussehenden Engländerin
spazierenging. In New York wäre ein solches
Paar sofort angepöbelt worden, und der Steward
hätte noch von Glück sagen können, wenn er
mit heilen Gliedern davongekommen wäre.
Wegen des freundlichen Empfangs, der ihnen
hier zuteil wird, und der ungewohnten Freihei-
ten, die sie in Liverpool genießen, sind die
schwarzen Köche und Stewards der amerikanischen Schiffe diesem Ort sehr zugetan und reisen mit Vorliebe dorthin... Anfangs war ich
überrascht, daß man einem Farbigen in dieser
Stadt so freundlich begegnete; aber bei näherer
Überlegung fand ich, daß man hier schließlich
nur seinen Anspruch auf Menschlichkeit und
normale Gleichberechtigung anerkannte und
daß wir Amerikaner es in mancher Hinsicht anderen Ländern überlassen, mit dem Grundsatz,
der unserer Unabhängigkeitserklärung voran-
steht, Ernst zu machen.

Ein wohlwollendes Eintreten für die Befreiung der Sklaven war im damaligen Nordosten der Vereinigten Staaten durchaus nicht ungewöhnlich, doch Melvilles »Überlegung« erweiterte die gängige Ansicht dahin, dass der Schwarze ein Recht darauf habe, sich gesellschaftlich und, wie er hier anzudeuten scheint, auch sexuell nach Belieben mit einer Weißen abzugeben. Als es zum amerikanischen Bürgerkrieg kam, verfolgte ihn Melville angesichts des Gemetzels mit einiger Sorge, doch schrieb er zur Zeit dieser Auseinandersetzung mit *Battle Pieces and Aspects of the War* seine schönsten Gedichte.

In den Docks beobachtete Redburn die Emigranten, die sich auf die Schiffe nach Amerika drängten.[1] Wieder kommt Melville selbst zu Wort:

Kaum etwas in den Docks erregte meine Teilnahme mehr als die deutschen Auswanderer, die immer mehrere Tage vor der Abreise an Bord der großen New Yorker Schiffe kommen, um sich häuslich einzurichten ... Und aus der Mitte dieser biederen Deutschen sind meinem Lande die tüchtigsten und wertvollsten Kräfte seiner Fremdbevölkerung zugewachsen ... Wer einmal recht bedenkt, auf welche Weise Amerika besiedelt worden ist, dem gehen die Augen auf, und in

---

[1] Philip Rahv veröffentlichte in seiner Essaysammlung *Discovery of Europe* Auszüge aus *Redburn* und kommentierte die Beschreibung deutscher Emigranten mit den Worten: »Ein ungewöhnlich ergreifendes Lob aller Hoffnungen auf die Neue Welt und eines der edelsten Bittgesuche in unserer Literatur um ein Ende nationalen Hasses und rassistischer Vorurteile.«

jedem edlen Gemüt sollten die Vorurteile natio-
naler Abneigungen für immer schwinden ... Du
kannst nicht einen Tropfen amerikanischen Blu-
tes vergießen, ohne das Blut der ganzen Welt zu
vergießen ... Unser Blut ist wie die Flut des Ama-
zonas: tausend edle Ströme haben dazu beigetra-
gen und sind in eins zusammengeflossen. Wir
sind nicht so sehr eine Nation als eine Welt; und
wir sind ohne Vater und Mutter.

Auf den letzten Seiten von *Redburn* wird der unsägli-
che Harry Bolton vorgestellt, ein junger Engländer,
eine Bekanntschaft aus den Liverpooler Docks. Bolton hat eine vollkommene Gestalt »mit Lockenhaar
und seidigen Muskeln ... Sein Gesicht war bräunlich
mit einem rötlichen Hauch und von mädchenhafter
Zartheit; seine Füße waren klein, seine Hände weiß
und seine Augen groß, schwarz und frauenhaft; und
– alle Poesie beiseite – seine Stimme hatte den Klang
einer Harfe.« Eine innige Freundschaft entsteht, und
Redburn und Bolton reisen gemeinsam nach London, doch gibt es keinerlei Anzeichen dafür, dass
seinerzeit eine solche Fahrt tatsächlich unternommen wurde. In London kommt es zu dem bemerkenswerten Besuch eines Männerbordells – eine selt-
same, sorgsam beobachtete, schwülstige städtische
Szene, wie man sie bei Melville in keinem anderen
dramatischen Einschub oder sonst irgendwo in der
amerikanischen Literatur seiner Zeit findet.

Einige Kommentatoren glauben, Melvilles Abneigung gegen den Roman *Redburn* verdanke sich der
späten Erkenntnis, in ihm seine homoerotischen

Sehnsüchte offenbart zu haben. Doch was auch Melvilles unbewusste oder insgeheim eingestandene Ansicht gewesen sein mochte, so lag ihm jedenfalls nicht daran, sich im Geschriebenen schützen zu wollen. Die Leser seiner Zeit, die Verleger und Buchhändler scheinen angesichts der mit enthusiastischen und verzückten Adjektiven bedachten männlichen Schönheit nicht gestutzt zu haben. Hershel Parker hat in seiner monumentalen Biographie die damaligen Besprechungen von *Redburn* gesammelt und führt nur eine einzige Erwähnung jener höchst bemerkenswerten Passagen über Harry Bolton an. »Ein Hauch von Romantik überzieht das Sammelsurium vertrauter und bekannter Vorfälle« lautet das Zitat, das sich nur als ein Paradebeispiel für die nachlässige Sprache und hastige Lektüre der Rezensenten deuten lässt. Den »schwulen« Melville jedenfalls sollte es erst Jahrzehnte später geben, weshalb es mir aus Respekt für den Gang der Zeit angebracht scheint, sich in einem späteren Kapitel mit den schönen jungen Männern zu befassen.

Die *St. Lawrence* kehrte zurück zu ihrem Ankerplatz an der Wall Street. Nach vier Monaten Abwesenheit traf Melville im Oktober 1839 wieder in Lansingburgh ein und sah sich mit einer ebenso bedrückenden wie beschämenden Lage konfrontiert. Gläubiger überall, und Maria Melville drängte auf einen weiteren Notgroschen von ihren Brüdern, obwohl diese beharrlich behaupteten, sich keine weitere Zahlung leisten zu können. Herman wurde nach Albany geschickt, um Peter Gansevoort die demütigende Bitte um Geld zu unterbreiten. Im Leben finden sich oft Menschen, die vollkommen mittellos sind und doch am nächsten Tag ihre Zeitung kaufen, und so erging es auch den Melvilles, die irgendwie ihr Leben fristeten. Herman nahm eine Stelle an der Schule im dreizehn Meilen entfernten Dorf Greenbush an, eine Strecke, die er aus Sparsamkeitsgründen zu Fuß zurücklegen musste, wenn er nach Hause kommen wollte. Doch als wollte sich der Teufel einen Spaß machen, ging der Schule das Geld aus, und die Löhne konnten nicht gezahlt werden. Das war das Ende dieser Episode.

Thomas Melville, jener Onkel, der in Paris seinen Triumph und in Pittsfield ein Desaster erlebt hatte, wohnte längst in Galena in Illinois, und dorthin begab sich Melville mit Eli Fly, einem Freund, um die Lage im Westen ein wenig zu erkunden, in dieser verheißungsvollen Prärie, diesem wilden, weiten Grenzstrich der Phantasie wie auch der Nation. Die beiden Freunde fuhren mit dem Schiff durch den Erie-Kanal und schauten sich unterwegs Buffalo, Toledo, Detroit und Chicago an, nicht zuletzt, um die Geschichte *Maskeraden oder Vertrauen gegen Vertrauen* vorzubereiten oder Melville doch die Idee dafür einzugeben. In *Moby-Dick* erklärt Ismael, was Kanalleute sind, jene Männer, die die Boote über den Erie-See führen, und offenbart damit ein weiteres Mal eine wahre Begabung für ein Erinnern, das für die amerikanische Landschaft beredte Worte findet.

Denn unsere ineinanderfließenden großen Süßwasserseen – Erie, Ontario, Huron, Superior und Michigan – haben bei ihrer ozeanweiten Ausdehnung auch viel von der edlen Größe des Meeres –

ähnlich romantische Inselgruppen wie die Südsee, an ihren Rändern eine ähnliche Vielfalt von Klima und Volkstum ... In mehr als einer Seeschlacht haben die Kanonen über das Wasser hin gebrüllt. An einzelnen Stellen sind die Ufer noch Eigentum der Eingeborenen, die mit rot bemalten Gesichtern aus ihren Fellwigwams hervorstürmen. Meilenweit aber ist die riesige Wasserfläche umrauscht von nie betretenen Urwäldern, wo die hageren Fichten eng stehen wie die Reihen der Könige im gotischen Geschlechtsregister ... In den Fluten spiegeln sich die gepflasterten Straßen der Großstädte Buffalo und Cleveland wie die Dörfer Winnebagos, die Vollschiffe der Kaufleute wie die Linienschiffe des Staats, Dampfboote wie Kanus aus Buchenholz.

In Illinois traf Melville seinen Onkel Thomas entgegen der allgemeinen Annahme, dass man im Westen sein Glück mache, in äußerster Bedrängnis an. Onkel Thomas, der bettelarme, unglückselige, straffällige und immer übereifrige Verlierer, erlebte eher das Schicksal einer Romanfigur als das eines Akteurs in der Biographie eines Romanschreibers. Herman mag es damals nicht gewusst haben, doch war sein Onkel dabei ertappt worden, wie er als Sekretär eines Mannes namens Hezekian Gear Geld aus dessen Kasse entwendet hatte. Er wurde entlassen, öffentlich aber nicht bloßgestellt, und so übernahm er nun Gelegenheitsarbeiten, gab der allgemeinen Wirtschaftslage die Schuld an seiner Misere und sah einem bedenklich ungewissen Lebensabend entgegen. Der Sommer war für die Reisenden nicht verloren, doch hätte es einen sorgloseren Geist als den eines Melville gebraucht, um den sozialen Abstieg des eigenen Onkels nicht mit Trauer um ihn selbst und die Familie zu betrachten.

Anderthalb Jahre nach seiner Rückkehr aus Liverpool, nach der Fahrt in den Mittleren Westen und nachdem er sich eine Weile in New York City um Arbeit bemüht hatte, heuerte Melville für einen Zeitraum, der vier Jahre betragen sollte, auf einem Walfänger an. Wie sein älterer Bruder Gansevoort hätte er sich für die juristische Laufbahn entscheiden können, wie es auch der jüngere Bruder Allan tun sollte. Sein Verstand und eine bemerkenswerte Begabung zu eigenständiger Weiterbildung hätten ihm jede Tür geöffnet, falls er denn offene Türen gewollt hat, was vielleicht nicht der Fall gewesen ist. Um 1840 war es in Amerika jedenfalls ein akzeptabler Entschluss, zur See zu fahren, lockte doch eine Laufbahn, die jedem Talent und – überzeugender noch – jedem Mangel an Talent offen stand. Mehrere Mitglieder der Familie Melville hatten diesen Weg gewählt, oft mit unvorteilhaftem Ergebnis. Ein Gansevoort kam bei einem Schiffsunglück um, ein anderer wurde mit einer Geschlechtskrankheit nach Hause geschickt, nur um wieder anzuheuern und mit dem nächsten Schiff unterzugehen. Thomas Melville, der Sohn des langfingrigen Onkel Tom, schlug einen Matrosen zusammen, wurde bestraft, überlebte die Bestrafung, bekam die Cholera und sank mitsamt dem Schiff.

Diese Mitglieder seiner Familie waren als Offiziere in See gestochen, doch Herman fuhr als einfacher Matrose. Es fiele auch tatsächlich schwer, ihn sich als einen Offizier vorzustellen, der für sich das Recht in Anspruch nähme, Autorität über andere auszuüben; ein solcher »Sultanismus«, wie er es nannte, war ihm zuwider. Dennoch war allgemein bekannt, welch einen Abgrund an Elend ein Walfänger beherbergte. Melvilles *Redburn*-Erfahrungen hatten zum Glück nur vier Monate gedauert, wozu auch der Landgang in der Stadt Liverpool zählte, doch hatten sie zu einer grausamen Erweiterung seines Wissensstandes geführt. Ein betrunkener Matrose, der im Delirium und unter den gleichgültigen Blicken seiner Gefährten über Bord sprang; die *St. Lawrence,* die an einem Schiffswrack, auf dem drei Männer, »die sich vor längerer Zeit, um sich zu sichern, an der Heckreling festgemacht hatten«, verhungert waren, einfach vorüberfuhr, ohne anzuhalten; und als Melvilles Schiff den Hafen verließ, verriet ein übler Gestank, dass man wiederholt Tote in eine der Kojen gelegt hatte. Jedenfalls beschloss Melville, das Land zu verlassen, zu flüchten. Doch wovor? Vielleicht vor der bohrenden Ungewissheit angesichts der eigenen Zukunft, vor einer melancholischen Beurteilung der Gegenwart oder vor Schuldgefühlen, weil er Mutter, Schwester und jüngerem Bruder nicht helfen konnte. Von dem Kauffahrer aber hatte er die Erinnerung mit nach Hause gebracht, welch ein Vergnügen es bereiten konnte, das Handwerk des Seemanns zu erlernen.

Taipi

Am 3. Januar 1841 segelte Melville als gemeiner Matrose auf der Jungfernfahrt des Walfängers *Acushnet* aus dem Hafen von New Bedford. Er war noch keine zweiundzwanzig Jahre alt. Das Leben auf dem Walfänger war zwangsläufig von launischer Erbärmlichkeit, und nach anderthalb Jahren floh Melville von Bord. Man hatte einige Wale gesehen, einige gefangen, doch hatte Melville über sie noch nicht ernsthaft nachgedacht. Er war an den Küsten von Brasilien, Chile und Peru entlanggesegelt und hatte die Galapagosinseln gesehen, aber als sie in die Bucht von Nukuhiwa, einer der Marquesas-Inseln, einfuhren, entschloss sich Melville »durchzubrennen«, wie er sich ausdrückte. So entstand *Taipi*. Der erfreuliche Erfolg des Buches verdankte sich allerdings nicht den Verlockungen des Meeres, auch nicht den Walen und dem Walfang, sondern den tätowierten, schwimmenden Südseeschönheiten, einem Kannibalenstamm, der als sein »Gastgeber« auftrat, dem trägen, tropischen Liebesleben und den schläfrigen Nachmittagen unter Kokospalmen.

Desertion war ein ernsthaftes Vergehen, dass aber Matrosen sich mit solch bereitwilligem Trotz auf dieses Wagnis einließen, sagt allerhand über die an Bord vorherrschende Unmenschlichkeit aus. Die ersten Sätze aus *Taipi*:

Sechs Monate auf See! Ja, Leser, so wahr ich lebe, sechs Monate kein Land gesichtet; auf Jagd nach dem Pottwal unter der sengenden Sonne des Äquators, auf den Wogen des weithin rollenden Stillen Ozeans umhergeworfen – den Himmel über uns, die See um uns, und weiter nichts! Schon vor vielen Wochen war unser ganzer frischer Proviant aufgezehrt. Nicht eine Batate ist übriggeblieben, nicht eine einzige Yamswurzel.

Wurden die Flüchtigen gefasst, konnten sie in Eisen gelegt werden; der Ort der Flucht mochte tückisch sein, tödlich sogar; und die Hafenpolizei war nicht selten äußerst unfreundlich zu dem spillerigen, von der See ausgelaugten, menschlichen Treibholz.

Melville gibt sich in *Taipi* alle Mühe, die Desertion zu rechtfertigen und seiner Erzählung ein legitimes Fundament zu verleihen. Er für seinen Teil hatte einen Vertrag unterschrieben, der ihn für die Dauer der Fahrt verpflichtete. »Aber ist nicht bei allen Kontrakten, wenn der eine Partner die Bedingungen nicht erfüllt, auch der andere grundsätzlich von seinen Verpflichtungen entbunden?« Zur weiteren Erklärung bringt er vor, dass an Bord ein tyrannisches Regime herrschte, die Kranken auf unmenschliche Weise vernachlässigt wurden, die Rationen äußerst knapp bemessen waren und die Fahrten selbst unnötig in die Länge gezogen wurden. »Schuld an diesen Mißständen war der Kapitän.«

Das Kommando auf dem Schiff hatte Kapitän Valentine Pease aus Nantucket, und selbst wenn man sagen könnte, dass es auf dem Schiff keineswegs verdrießlicher und brutaler als auf anderen Walfängern zuging, folgt daraus noch lange nicht, dass allein die erstaunliche Schönheit der Marquesas-Inseln und die wie Nymphen schwimmenden Mädchen Anlass für die Flucht von Bord waren.

Auf der noch weitere viereinhalb Jahre andauernden Jungfernfahrt der *Acushnet* desertierte die halbe Mannschaft, ein Matrose beging Selbstmord, zwei weitere starben an Geschlechtskrankheiten. Auf der Rückfahrt gingen im peruanischen Payta der Erste und der Dritte Steuermann von Bord, so daß das Schiff den Hafen nur mit elf Mann Besatzung erreichte. 1851, kurz nach der Veröffentlichung von *Moby-Dick*, erfuhr Melville, daß die *Acushnet* vor der St.-Lawrence-Insel auf Grund gelaufen und in schwerer See untergegangen war.[2]

Im Januar 1841 ging Melville an Bord der *Acushnet* und kehrte erst am 3. Oktober 1844, nach fast vier Jahren, wieder heim. Diese Jahre, sowie die zu *Redburn* verarbeiteten Erfahrungen der früheren Reise, gaben den Hintergrund für seine ersten Bücher über das Meer ab. So, wie wir ihn heute lesen, nehmen die Früchte dieser Jahre fälschlicherweise beinahe den Charakter von Auftragsarbeiten an – dieses Boot führt zu *Taipi*, das nächste Schiff

---

[2] Robertson-Lorant, S. 106.

zu *Omu*, und so weiter. Alle sind sie von einem um-
triebigen Icherzähler geschrieben, und dieses *Ich*
wird später in *Moby-Dick* zu Ismael, als wollte es
endlich offenbaren, was es über sich selbst dachte.
Dieses *Ich* hielt sich für einen Ausgestoßenen,
einen Sohn Abrahams, wenn auch nicht von könig-
lichem Geblüt.

Immer wieder gelingen Melville glänzende Port-
rätstudien; dort das »zusammengekniffene Auge«,
hier ein Gesicht wie »ein Schmelztiegel des Elends«;
wilde Metaphern für die Torheiten, die mit gehobener Stellung einhergehen, so etwa erscheint
der Oberleutnant eines Schiffs der U. S. Navy
»wie der Vater einer vielköpfigen Familie, der im
Morgenmantel, Pantoffeln an den Füßen, den
tumultuarischen Tagesanbruch seiner zahllosen
Kinderschar zu bändigen sucht«. Doch zeichnet
er nicht sein eigenes Ebenbild. Die Hölle auf
dem Schiff, das Auspeitschen, die Erschöpfung,
die kräftezehrende Nahrung, fehlende Freund-
schaften, die Dummheiten und Obszönitäten:
Welche Spuren hinterließ all dies in seinem tiefsten
Innern?

Er bleibt ein Geheimnis, und vielleicht gilt von
ihm, was er über den Kanzleischreiber Bartleby
festhielt: »Es existieren wohl überhaupt keine Un-
terlagen für eine ausführliche, befriedigende Biographie des Mannes.« Dieser Hafen, jener Hafen,
die Inseln, die fremden Länder: »Ich mußte reisen,
um die Wahnbilder zu verjagen, die um meinen
Schädel geisterten. Über die See, die ich liebte, als
wasche sie allen Schmutz von mir ab, sah ich das
Kreuz des Trostes aufsteigen. Der Regenbogen war

mein Fluch …« (Rimbaud[3]). Rimbaud, der Frankreich verließ, um nach Afrika zu gehen, kehrte erst
zum Sterben zurück; doch da ist Herman Melville
noch ein junger Mann und bereits wieder im
Staat New York, wo er mit Schlips und Anzug am
Schreibtisch sitzt, Erinnerungen in einem Was-
serfall von Worten, Bildern, Metaphern heraufbeschwört und Einzelheiten über Stämme und Sitten
notiert, heidnische Rituale – eine poetische Anthropologie.

Er braucht auf den Schiffen einen Gefährten. In
Taipi ist es ein junger Matrose, Richard Tobias
Greene aus Buffalo, New York, der sich seiner toll-
kühnen Flucht anschließt. Vor ihnen liegt das herrliche Nukuhiwa mit seinen Seevögeln, dem Fre-
gattvogel »mit dem blutroten Schnabel und seinem
Rabengefieder«, mit überraschend steilen Klippen,
»hier und dort von tiefen Buchten durchbrochen«
und »dicht bewaldeten Tälern« und obendrein noch
mit so mancher Geschichte von Kannibalenstäm-
men. Um außer Sicht der *Acushnet* zu gelangen,
müssen die beiden steile Felsen erklimmen, sich in
sintflutartigen Regenfällen ihren Weg durch dorni-
ges Gestrüpp und sperriges Dickicht bahnen, Hun-
ger und Durst erdulden, während sie doch nur wenig über die Bewohner dieser Gegend wissen. Sind
es Kannibalen oder die eher friedfertigen Einwoh-
ner von Happar? Der Kampf gegen die Elemente
und das fremde Land wird mit meisterlicher Span-
nung geschildert. Endlich kommen sie ins gefürch-

---

[3] Rimbaud, *Sämtliche Werke*, Insel-Verlag Anton Kippenberg,
Leipzig, 1976, übertragen von Sigmar Löffler.

tete Tal von Taipi und stoßen entgegen aller Gerüchte und ethnographischer Halbwahrheiten auf ein überraschend gastfreundliches Dorf.

Mehr oder weniger getreu wiedergegebene Ereignisse verknüpfen sich zu einem brauchbaren »Plot«. Melville ist geschwächt, leidet unter Fieber und einer schmerzhaften Infektion am Bein, die nicht abklingen will und ihn zu einer Art Invaliden macht – der wie in einem primitiven Siechenhaus herumgetragen und gepflegt werden muss. Es war keineswegs Absicht der beiden Deserteure gewesen, bloß ein wenig am Strand zu faulenzen. Sie wollten auf einem anderen Schiff anheuern, und Toby, wie er im Buch genannt wird, hält sich auch nicht lange auf, sondern findet mit der unwilligen Hilfe eines betrügerischen alten weißen Strandläufers, der schon lange auf der Insel lebt, den Weg zu einem im Hafen ankernden Schiff. Er will mit Medikamenten zurückkehren und dafür sorgen, dass Tommo, wie Melville sich hier nennt, von der Insel geholt wird. Das Schiff aber mag nicht länger warten und auch nicht wieder umkehren; und erst nach der Veröffentlichung von *Taipi* erfuhren die beiden voneinander, dass der jeweils andere überlebt hatte.

Im Tal ist Melville der Einzige seiner Art, wenn man so will. Er war nicht, wie er in »Eindrücke vom Leben in der Südsee« – so der Roman im Untertitel – behauptet, vier Monate, sondern höchstens vier, wenn nicht gar nur drei Wochen auf der Insel. Als Entschuldigung für diese Übertreibung wird von freundlichen Kommentatoren gewöhnlich vorgebracht, dass er seiner überaus detaillierten Dokumentation Glaubwürdigkeit verleihen wollte. Nun, wie dem auch sei, jedenfalls lag er dort, geschwächt und gelähmt, und wurde von den »Wilden« nicht nur mit äußerster Höflichkeit, sondern mit einer nahezu überwältigenden Fürsorglichkeit behandelt.

Er wird von einer Inselfamilie aufgenommen und besonders von deren Sohn Kory-Kory betreut, der im Gegensatz zu den hoch gewachsenen, hübschen Männern, die den Besuchern der Insel gewöhnlich auffallen, von eher hässlichem Aussehen ist, wogegen auch allerhand scheußliche Tätowierungen nichts auszurichten vermögen. Seine Mutter scheint der einzige Mensch in seinem Umkreis zu sein, der etwas tut: Sie kocht, schneidert und sucht eifrig nach irgendwelchen Kräutern im Tal. Mit Ausnahme von Kory-Kory sind die jungen Männer der Familie zügellose, nichtsnutzige »lärmende wilde Gesellen«. Und die jungen Damen scheinen sich nur im Meer zu baden und Blumen ins Haar zu stecken.

Kory-Kory ist der Hüter von Tommos Wohlergehen; er trägt ihn auf dem Rücken umher, füttert ihn und schläft an seiner Seite. Aus nicht ganz ersichtlichen Gründen sind die Inselbewohner fest entschlossen, Melville nicht gehen zu lassen. Eine weitere Eingeborene, die in der Erzählung auftaucht, ist das schöne und nur leicht tätowierte Blumenkind Fayaway. Sie ist selbstlos, »natürlich«, voll zärtlichen Mitgefühls angesichts seiner Beinschmerzen und »unsagbar betrübt«, als er schließlich abreist. Fayaway mag auf uns wirken, als warte sie darauf, dass man in ihr eines jener Sarong-Mädchen für die erst viele Jahre später gedrehten Südseefilme entdeckt, doch dürfte sie für die damaligen Leser aus anderen Gründen interessant gewesen sein. Es bleibt nämlich unklar, ob

Melville auf ein sexuelles Verhältnis mit dieser Insel-schönen anspielt, doch später – nach *Omu*, nach öf-fentlich geäußertem Unmut über seine scharfe Kritik an den Missionaren, nach den Attacken auf die Rolle der Franzosen in Tahiti, einem bösartigen Angriff auf die Moral des Autors – wurden ihm von Horace Gree-ley, einem extravaganten Herausgeber einer Zeitung und politischen Journalisten, lasterhafte Beziehun-gen zu den unschuldigen Inselmädchen nachgesagt.

Gewiss, da ist Fayaway, die ihr Gewand fallen lässt, um ihren schönen Körper zu zeigen, aber die merkwürdigere Szene in diesem Buch schildert ein mehrdeutiger Abschnitt mit dem Zwischentitel »Kory-Kory zündet Feuer à la Taipi an«. Ein kleines Holzstück und ein halb verfaulter Eibischstock, etwa »sechs Fuß lang und drei Zoll Durchmesser«, werden aneinander gerieben, um einen Funken her-vorzulocken. Doch der Zustand, in dem sich Kory-Kory während dieses Vorgangs befindet, deutet eine andere Art Reibung an.

Zuerst macht sich Kory-Kory ganz gemütlich an die Arbeit, doch allmählich beschleunigt er sein Tempo, wird warm über seiner Tätigkeit und treibt den Stock wütend den rauchenden Kanal entlang – seine Hände bewegen sich dabei erstaunlich flink auf und ab, und der Schweiß bricht ihm aus allen Poren. Wenn er die Höchstgeschwindigkeit er-reicht hat, keucht er und schnappt nach Luft, und die Augen springen ihm fast aus den Höhlen, so strengt er sich an … Das Feuermachen war die an-strengendste Arbeit, die ich in Taipi habe verrich-ten sehen …

Ein Teil der Insel war Sperrgebiet, tabu, doch sobald wir uns dem Ende des Buches nähern, wird deutlich, dass Melville, dieser vagabundierende Beobachter, sich gedrängt fühlt, der Frage nach dem Kannibalismus auf den Grund zu gehen. In einem dramatischen Kapitel findet er die Antwort, die, wie man heute annimmt, auch der Wahrheit entspricht. Drei in dem einheimischen Stoff Tapa gewickelte und von einem Dachbalken herabhängende Bündel hatten seine Neugier so sehr erregt, dass er sich in einen Kreis Eingeborener drängte, als diese die Beutel untersuchten. Sie enthalten menschliche Köpfe: »Zwei waren Köpfe von Insulanern, der dritte aber war zu meinem Entsetzen der eines weißen Mannes.« Ein oder zwei Wochen später ist die ganze Gegend in Aufruhr, als es zum Kampf mit den angreifenden Männern von Happar kommt. Am Ende serviert man zu einem großen Festessen die Leichname der erschlagenen Feinde.

Es kommt der Augenblick, die Flucht zu ergreifen und sich an Bord eines anderen teuflischen Walfängers mit hübschem Namen zu begeben, ein Schiff, das ihn zu *Omu* tragen wird. Es ist die *Lucy Ann* aus Australien. Weitere zwei Jahre vergehen, bevor Melville heimkehrt und die *United States*, ein Schiff der Marine, das in *Weißjacke* zu Ehren oder vielmehr zu Schande kommt, vor Boston im Charlestown Navy Yard Anker wirft. Die offizielle Entlassung erfolgt erst einige Wochen später, doch gibt Melville seiner Familie in Lansingburgh nicht gleich Bescheid, und man weiß nicht genau, wo er sich in Boston aufgehalten und ob er sich vielleicht vor etwas gedrückt hat.

Der unerschrockene und phantasievolle Biograph Hershel Parker wünscht sich, dass er in dieser Zeit den ehrsamen Richter Shaw aufgesucht und dabei nähere Bekanntschaft mit jener ausersehenen Elizabeth Shaw geschlossen hat, die seine Frau werden sollte. Der Biograph hat gleich mehrere Seiten lebhaften Inhalts über das ersonnen, was in dem hübschen Salon des Hauses Shaw in der Mount Vernon Street vorgefallen sein muss. Diese erquicklichen Szenen sind recht nützlich als Ergänzung für die spärlichen Belege über jenes Liebeswerben, das drei Jahre später zur Ehe führen sollte. Doch war Melville kaum in bester Verfassung, trug einen Bart und schlechte Kleider und hatte zudem wenig mehr vorzuweisen als einige Seefahrergeschichten und einen Berg von Erfahrungen, die für die grünen Auen und das stolze Pflaster Bostons schrecklich ungeeignet waren. Er hatte Anonymität gesucht, aber nun zählte er wieder zu den respektablen Bürgern, war ein Melville und ein Gansevoort.

Zumindest mit Verwandtschaft waren diese beiden Familien reich gesegnet. Da gab es Geschwister, Vettern und Kusinen, Enkel, Gattinnen und Ehemänner, deren Lebenswege die Biographen von der Geburt bis zum Tod verfolgen konnten, Hochzeiten, die aufgespürt werden mussten, Untaten, die ihre heißblütige Aufführung erlebten, Briefe, die wie Goldmünzen erst mehr als hundert Jahre später gefunden wurden – und all das wegen des Genies eines einzigen Mannes. Die beiden Familien mit ihrer offenkundigen Vorliebe für die Erweiterung des eigenen Stammbaums gaben den männlichen Nachkommen immer wieder dieselben Namen.

Da sind vier Hermans zu nennen, fünf, die auf den Namen Allan hören, vier mit dem Namen Thomas. Gansevoort, Hermans älterer, und Allan, sein jüngerer Bruder, waren Anwälte in New York, und zu der Zeit, als Herman in Boston wieder an Land ging, wurde Gansevoort oft in den Zeitungen erwähnt. Sein Bruder war damals sogar eine echte Berühmtheit, ein wortgewandter Redner der Demokratischen Partei. Er zog durch das Land und sprach in New York und im Mittleren Westen vor großen Menschenmengen. Seine Reden, die er anfangs für Van Buren und später für James Polk hielt, waren mitreißend, lang und in ihrem Inhalt zutiefst religiös; mit »Feuer und Fanfaren«, so hatte Horace Greeley seinen Stil beschrieben.

Gansevoort hatte den alten John Quincy Adams während seiner letzten Tage als Präsident aufgesucht; er war Andrew Jackson in der Hermitage in Tennessee begegnet und Henry Clay in Kentucky. Als Polk ins höchste Amt gewählt wurde, reiste Gansevoort nach Washington, um sich seine Belohnung zu holen – eine Stelle in der Verwaltung. Damit sollte es nicht klappen, doch wurde er zum Mitglied der amerikanischen Gesandtschaft in London ernannt, was sich für seinen Bruder Herman und die Zukunft von *Taipi* als Glücksfall erweisen sollte.

Als Herman schließlich wieder daheim in Lansingburgh ankam, hatte sich die Lage ein wenig gebessert; die Niederschrift von *Taipi* begann und wurde wohl in einer Wohnung in Manhattan fortgesetzt, die er sich mit seinem jüngeren Bruder Allan teilte. Immer wieder lesen wir, wenn die Geschichten von den Vagabundenjahren erzählt werden, dass der Autor sich gedrängt sah, derlei »festzuhalten«. Viele haben sich bei einem Glas Schnaps erregt und wurden ähnlich ermuntert, vom mündlichen Bericht zur leeren, weißen Seite überzugehen. Ein Tag, vielleicht auch nur eine kurze Stunde, genügte da als Vorbereitung. Doch für Melville war von Anfang an alles parat – die Sprache, die erzählerische Begabung, eigene Gedanken über seine Erfahrungen, Inspiration – und da war er selbst, das Leben noch vor sich; die Lust zum Schreiben aber, die hatte er schon Jahre zuvor bewiesen, als er seine Sketche an die Regionalzeitung geschickt und diese sie veröffentlicht hatte; also musste er nicht erst auf das Drängen junger Damen oder der Familienmitglieder warten, um sich an die Abfassung seiner Werke zu machen. Außerdem schrieb er doch Jungenbücher, wenn man so will, schrieb die Abenteuer einer zweifelhaften Moral und intellektuellen Skepsis.

Einzelne Kapitel aus *Taipi* bot Melville Harper Brothers an, den Verlegern von Danas *Zwei Jahre vor'm Mast – Vom Sklavenleben auf den alten Segelschiffen*, einer beliebten Seefahrergeschichte. Das Manuskript wurde abgelehnt, da man fürchtete, dass es nicht der Wahrheit entspräche, ein verheerender Rückschlag, wenn auch keine jener berühmten Fehlentscheidungen, wie man sie aus Verlagsgeschichten kennt. Die Frage nach dem Wahrheitsgehalt sollte das Buch allerdings auch noch nach der geglückten Veröffentlichung verfolgen. In Melvilles erstem Buch dürfte das größte Rätsel aber nicht bloß in der erstaunlichen stilistischen Sicherheit liegen, sondern in dem, was man seine außenseiterischen Ansichten

über Kaufleute, missionierende Eindringlinge und
deren arroganten Glauben an die Unterlegenheit hilf-
loser Wilder nennen könnte.

Die Ungeheuerlichkeiten, die man in der Südsee
an harmlosen Insulanern begangen hat, sind fast
unglaublich. Zu Hause wird selten darüber gesprochen; es geschieht am Ende der Welt in
irgendeinem Winkel, und niemand ist da, der es
aufdeckt. Doch gibt es manch einen kleinen
Händler, der den Pazifischen Ozean befahren hat
und dessen Kurs sich von Insel zu Insel an einer
ununterbrochenen Spur kaltblütiger Räubereien,
Entführungen und Morde verfolgen läßt, deren
Schändlichkeit vollauf genügen sollte, um die
sündhaften Planken auf den Meeresgrund zu ver-
senken.

Gansevoort Melville, der bald seinen Platz in London einnehmen sollte, erhielt Besuch von Thomas
Nichols, einem Freund, der sein Büro aufgesucht
hatte, um ihm zu gratulieren. Dort las er das unvollständige Manuskript und bot Gansevoort an, es
englischen Verlegern zu zeigen, die, wie es damals so
üblich war, amerikanische Autoren veröffentlichten und dann die Rechte zum Nachdruck in den
Vereinigten Staaten anboten.

Der stets kränkelnde Gansevoort, der kein langes
Leben vor sich haben sollte, hatte seine lebhafte
Überzeugungskraft in den politischen Wahlkämp-
fen nicht verloren. Der damalige amerikanische
Botschafter in England hieß Louis McLane, ein
Südstaatler und angemessen umsichtiger Diplomat.

Er war über Präsident Polks empörende Ernennung Gansevoorts nicht informiert worden und fand dessen Unterstützung seiner eigenen Ideen höchst ungebührlich und ärgerlich, weshalb er sich darum bemühte, ihn nach Konstantinopel versetzen zu lassen, doch fand sich dort keine freie Stelle.

Inzwischen hatte Gansevoort dem Verleger John Murray einige Seiten aus *Taipi* geschickt, und der war immerhin so sehr daran interessiert, dass er um weitere Kapitel bat. Als diese dann eintrafen, bot er, wenn auch nicht ganz ohne Vorbehalte, einen Vertrag an. Der gefeierte Washington Irving, der seinen Posten als Botschafter in Spanien verließ, wollte seinen Freund Louis McLane besuchen, der jedoch nicht anwesend war, weshalb er sich stattdessen mit dem katzbuckelnden Gansevoort unterhielt. So ergab sich eine Gelegenheit, den Anfang von *Taipi* zu lesen, und Irving war davon überaus angetan. Sein eigener amerikanischer Verleger saß in London, und ihm wurde das Manuskript zur Ansicht zugesandt. Prompt einigte man sich auf die Bedingungen einer Veröffentlichung in Wiley and Putnams *Library of Choice Reading*, und wenn man einmal von mühseligen Überarbeitungen und einigen hanebüchenen Kürzungen absah, vollzog sich Melvilles Eintritt in die literarische Welt doch mit einigem Glück und bemerkenswerter Schnelligkeit. Er begann gleich darauf mit der Niederschrift von *Omu*.

Taipi wurde viel gelesen und oft besprochen. Walt Whitman im *Brooklyn Eagle*: »Ein seltsames, reizvolles, höchst lesbares Buch …, genau das Richtige, um es in der Hand zu halten und darüber einen Sommertag zu verträumen.« Margaret Fuller: »Sollte sich die Wahrhaftigkeit des Beschriebenen bestätigen, kann man jenen Gesellschaften, die heutzutage die Mittel für solcherlei Unternehmungen (Missionarsreisen) aufbringen, nur raten, die in diesem Buch angeführten Einzelheiten aufmerksam zu lesen.«

Hawthorne besprach *Taipi* in der Salemer Zeitung:

> Dieses Buch ist in einem leichten, doch kraftvollen Ton gehalten; und wir kennen kein Werk, das ein freieres und eindrucksvolleres Bild von jenem barbarischen Leben gäbe, in dessen unverfälschtem Zustand nur noch so wenige Individuen existieren. Wie im Kontrast zu den Charakterzügen wilden Ingrimms wird die sanftmütige Verfassung gezeigt, die dem herrlichen Klima eigentümlich scheint… Der Autor verfügt über jene Freiheit des Geistes – es wäre gar zu grob, sie losen Prinzipien zuschreiben zu wollen –, die ihn auch gegenüber jenen Moralkodexen tolerant sein läßt, die nur wenig mit den unseren gemein zu haben scheinen, eine Geistesverfassung, wie sie einem jungen und abenteuerlustigen Seemann gut zu Gesicht steht und die sein Buch für unsere allzu gesetzten Landsleute um so bekömmlicher macht.

Dennoch litt Melville schmerzlich unter den Vorwürfen der Unwahrheit und den Zweifeln an der Authentizität von *Taipi*. Dann aber rettete ihn ein Zufall. Sein Freund Toby – Richard Tobias Greene – erfuhr von dem Buch und sandte dem *Buffalo Commercial Advertiser* einen Brief, in dem er bekannt gab, dass er überlebt habe und dass er die Richtigkeit der Ereignisse in *Taipi* bis zu seiner Flucht bezeugen könne.

Melville besuchte Greene und kehrte mit einem Porträt und einer Haarlocke heim; Souvenirs seiner Sentimentalität, vielleicht aber auch nur Vorsichtsmaßnahmen für den Fall, dass die nörgelnde Presse behauptete, er habe sich den wieder zum Leben erweckten Toby nur ausgedacht. Der auferstandene Toby wurde in seiner Heimatstadt zu einer Berühmtheit, und die Zeitungen veröffentlichten seine Version der Geschehnisse, so wie er sie ihnen erzählt oder für die Lokalpresse aufgeschrieben hatte. Die Geschichte wurde von anderen Zeitungen aufgegriffen und gefährdete damit Melvilles »Fortsetzung« über Tobys Bestätigung seiner Erzählung, für die er von den Verlegern von *Taipi* bereits ein zusätzliches Honorar gefordert hatte. In seiner Fassung nimmt Melville die Haltung des allwissenden Erzählers ein, der sich bedenkenlos an Tobys Stelle setzt, um dessen Flucht und seine vereitelten Bemühungen um die Rettung Tommos zu beschreiben. Im Großen und Ganzen ist diese Fortsetzung offenbar stichhaltig, wenn auch in den kleinen, den kreativen Details nicht ganz verlässlich.

Trotz der pastoralen Stimmung vieler Szenen ist *Taipi* ein grimmiges Werk. Die sommerliche, grüngoldene Insel wird von einem trostlosen, primitiven und monotonen Rhythmus überlagert. Da sind die Mahlzeiten, der Schlaf, die Auseinandersetzungen mit anderen Stämmen und die sexuelle Freizügigkeit, die aber angesichts fehlender Privatsphäre und ähnlicher Konventionen recht oberflächlich bleibt. Toby flieht, sobald er kann, und beabsichtigt, seinen invaliden Kameraden mitzunehmen. Wäre Melville tatsächlich, wie behauptet, vier Monate dort geblieben, wären die entsprechenden Erfahrungen gewiss kaum zu verkraften gewesen.

Im Mai 1846 starb Gansevoort in London. Er hatte dem Tod noch lange genug getrotzt, um die Veröffentlichung von *Taipi* zu erleben und Einfluss auf die Kürzungen und Überarbeitungen nehmen zu können. Die schrankenlose Begeisterung und Aufmerksamkeit, die er dem Buch seines Bruders schenkte, sind in ihrer Bedeutung kaum zu überschätzen, da ohne sie die Absage von Harper Brothers vermutlich das Ende für das Werk bedeutet hätte. In seiner Jugend war Gansevoort von kränklicher Konstitution gewesen; damals hatte er Herman an Bord der *Acushnet* gebracht und sich anschließend in Boston aufgehalten, um Richter Shaw um ein »Darlehen« zu bitten, mit dessen Hilfe er seiner Gesundheit zuliebe eine Kreuzfahrt unternehmen wollte. Nach kurzer Krankheit starb er in London in seiner Wohnung. Es gab eine kleine Andachtsfeier in der Westminster Abbey, und die Melvilles baten Irving Washington, die Überführung des Leichnams zu veranlassen. Schwere Zeiten für die Familie: der älteste Sohn, der Stolz der Familie, tot mit einunddreißig Jahren. Und so zogen seine Mutter und, wie es sich später dann fügen sollte, auch seine Schwestern zu Herman, nachdem der Elizabeth Shaw geheiratet hatte.

Taipi ist Lemuel Shaw gewidmet, dem Obersten Richter des Staates Massachusetts. Dieser vornehme Herr hatte sich mit einer recht aufdringlichen und verschwenderischen Sippschaft eingelassen, als er sich in Jugendtagen mit Allan, Melvilles Vater, befreundete und dessen Schwester Nancy Melville heiraten wollte, die jedoch starb, ehe die Verbindung vollzogen werden konnte. Die Shaws waren eine angesehene, gut situierte Bostoner Familie. Gewiss zählte Colonel Robert Shaw, der gefeierte Anführer des schwarzen 54. Massachusetts Regiment, das während des Bürgerkriegs so grausam in South Carolina aufgerieben worden war, zu den Verwandten der Familie, obwohl er von Melville in seinen Gedichten über den Krieg nicht erwähnt wurde. Man hat Colonel Shaw »mit seinen Niggern begraben«. Seine eindrucksvolle, von Saint-Gaudens geschaffene Statue steht neben dem Bostoner State House.

Elizabeth

In den vier Jahren, in denen sich Herman auf
See herumgetrieben hatte, waren Elizabeth Shaw
und seine Schwester Helen enge Freundinnen geworden. Die beiden jungen Frauen besuchten
sich gegenseitig, und Elizabeth hielt sich in Lansingburgh auf, als Melville *Omu* schrieb und sich
mit den Kürzungen und Überarbeitungen von
Taipi herumärgerte. Sie verlobten sich, doch fehlte
es dem künftigen Gatten vermutlich an der nötigen Muße für eine traditionelle Brautwerbung.
Die Frage nach dem Einkommen, die dem Richter
Shaw in Zusammenhang mit den Melvilles so
vertraut war, scheint die Heirat eine Zeit lang ver-
zögert zu haben. Melville reiste mit einigen be-
achtlichen Referenzen nach Washington, weil er
hoffte, dort eine Stelle bei der Regierung zu erhalten. Er hatte kein Glück, und man kann sich
unschwer vorstellen, dass die Prüfer mit ihrer
reichhaltigen Erfahrung in Bewerbungsgesprä-
chen bei Melville einen Hauch von Widerwillen gegen jegliche feste Anstellung ausmachen
konnten.

Die Hochzeit mit Elizabeth Shaw fand am
4. August 1847 in Boston statt, und die Flitterwo-

chen verbrachte man in den White Mountains von New Hampshire, in Montreal und in Quebec. Er war achtundzwanzig, sie fünfundzwanzig Jahre alt. Es war eine dynastische Ehe der Melvilles, Gansevoorts und Shaws, Ostküstenaristokratie zumindest zufolge der Geburt und der frühen Einwanderung; und jede Familie hatte ein paar Erbstücke im Keller. Mit *Taipi* und *Omu* hatte sich Melville einen gewissen Ruf erworben – ein Pfund, mit dem man wuchern konnte. Niemand ahnte damals, nicht einmal er selbst, welch rastloses Schaffen ihn erwartete, der beängstigende Beginn einer kreativen Lebensreise, die unromantische Verkörperung eines Arbeiters in jenen Gefilden der Kunst, für die so selten öffentlicher Bedarf besteht.

Jedenfalls folgte Melville eigenem Antrieb und schrieb zu Hause, getragen von einer allgemeinen Stimmung verwunderter Sympathie. Die Meinung seiner Familie, seiner Frau, über bestimmte Bücher ist nicht bekannt, möglicherweise ein Umstand, der einem Haushalt vorzuziehen ist, in dem sämtliche Mitglieder gegen Kritiker, Verleger und Buchhändler wüten und für paranoide Aufgeregtheit sorgen.

Elizabeth Shaw war, was man eine »sehr nette junge Frau« nannte, eine gutmütige, freundliche und von ihrem nachsichtigen Vater sowie einer liebenswürdigen Stiefmutter – ihre eigene Mutter war bei der Geburt gestorben – wohl erzogene Person. Sie zog vier Kinder groß, erduldete den tragischen Tod von zweien, wusste ihre unangenehme Schwiegermutter zu nehmen und ertrug die langen Jahre des intensiven Seelenlebens, der kreativen Schmerzen und Enttäuschungen ihres Mannes. Sie schrieb seine Manuskripte ins Reine wie die Gräfin Tolstoi, doch fehlten ihr jene rasende Selbstsucht und immerzu geforderte Aufmerksamkeit, die Tolstoi schließlich veranlassten, zum Bahnhof zu fliehen und dort zu sterben. Lizzie Melville war nicht so brillant wie die Gräfin und musste sich mit keinen servilen Schülern und Schmeichlern abfinden, auch wenn Herman sich gewiss ebenso wie Tolstoi über einen jungen Amanuensis oder einen literarischen Bewunderer gefreut hätte.

In der *Kreutzersonate* beschrieb Tolstoi die Ehe als die Gemeinschaft »zweier Sträflinge, die, zu lebenslanger Zwangsarbeit verurteilt, an dieselbe Kette geschmiedet wurden«, was der Gräfin die Drohung entlockte, sich ertränken zu wollen. Als sich Elizabeth Shaw eines Abends müde damit abplagte, die krakelige, verworrene Handschrift in lesbare Form zu bringen, konnte sie etwas über die »entzaubernden Spiegel der ehelichen Tage und Nächte« lesen. Nun gut, nur nicht aufhören, bloß die Hofstenotypistin bleiben, die auch dann noch weitertippt, wenn Köpfe unterm Fallbeil rollen.

Tolstoi schrieb allerdings auch mit beeindruckender Schönheit und großem Mitgefühl über eine junge Liebe, während bei Melville die Betonung eher auf der Seelenliebe von Jonathan und David liegt. Und was hielt die geplagte Gattin von den inzestuösen Verstiegenheiten in *Pierre*? Oder von jener humorvollen Zeitschriftenerzählung »Ich und mein Kamin«, in der ein Ehemann versucht, ein geliebtes Detail des Hauses zu bewahren, während seine Frau sich in wütender Umbaulaune befindet? Elizabeth würde erwidern, dass es sich bei dem widrigen Zankteufel um seine Mutter und nicht um sie selbst handle und dass ansonsten jene Anspannungen zum Ausdruck kämen, die Melvilles Gesundheit, seinen schlechten Augen, dem schlimmen Rücken, dem Ischias und der grauenhaften Überarbeitung verschuldet seien.

Zu heiraten war für Melville eine klügere Entscheidung als für seine Frau. Er mochte sich nach Männerfreundschaft, gar nach Männerliebe sehnen, doch verwandelte ihn die Ehe vom ungebundenen Wanderer in einen obsessiven Schreiber, beinahe so, als ob es dort, in diesem Haus, in dieser Nachbarschaft, für einen Mann wie ihn nichts anderes gäbe, als das Kapital zu nutzen, das er durch die Abfassung von *Taipi* und *Omu* in sich entdeckt hatte. Als der Melville, der er war, teilte er die Missachtung seiner Familie für wirtschaftliche Notwendigkeiten und würde seine Kinder doch nicht Kerzen verkaufen lassen, solange es in Albany noch einen Gansevoort und einen Richter Shaw in Boston gab, ihr Flehen zu erhören.

Nachdem sie die Besessenheit ihres Mannes zwanzig Jahre ertragen hatte, seine üblen Launen, wenn er abends mal wieder zu viel getrunken hatte, dachte Lizzie ernstlich über eine Trennung nach. Ihr Halbbruder Sam Shaw und ein zu Rate gezogener Priester fanden den Gedanken ganz in Ordnung, drängten sie sogar dazu, doch konnte sie den letzten Schritt nicht gehen, obwohl die Misere, in der sich diese treue und einfache Frau befand, fürchterlich gewesen sein muss. Bis zum Ende hielten sie gemeinsam aus; vierundvierzig Jahre Ehe sollten es werden.

Omu, Mardi

Omu: Für Melville heißt es fort vom Kannibalen-
paradies, als er an Bord der *Lucy Ann* gelangt, ein
Wrack, »ein kleines, verwahrlost aussehendes Fahr-
zeug, Rumpf und Spieren von einem schmutzigen
Schwarz, das Takelwerk überall locker und ausge-
bleicht«. Doch der australische Walfänger, in diesem
Buch »Julia« oder auch »Klein-Julchen« genannt, war
trotz der zerfetzten Segel eine wendige Tanzmaus:
»Mochte der Wind stark oder schwach wehen, sie war
immer bereit, und wenn ihr Bug die schäumenden
Wogen teilte, wenn sie sich aufbäumte und durch das
Meer stampfte, dachte man nicht mehr an ihre ge-
flickten Segel und ihren pockennarbigen Rumpf.«
Dieses liebevolle Lob auf ein mitgenommenes Schiff
hebt sich klar von der Beschreibung des liederlichen
und achtlosen Haufens ab, der ihr Schicksal bestimmte. Melville selbst befindet sich in keiner sonderlich guten Verfassung; sein Haar ist lang, und er
trägt einen Bart und einen Rock aus Stoff, wie ihn die
Eingeborenen herstellen, doch kaum auf See, sucht
er sich in der bezechten, syphilitischen Mannschaft
jemanden, mit dem er reden kann.

Der Kommandant, Kapitän Guy, gehört nicht zu
den üblichen, Pfeife rauchenden Tyrannen, son-

dern ist ein rechtes Original. Er »taugte zur Seefahrt nicht besser als ein Frisör«. In einer bemerkenswerten Szene sehen wir den Kapitän aus seinem Quartier kommen, um nach dem Anlass einer Schlägerei zu fragen. Der Mann, der Melvilles Gefährte sein wird, genannt Doktor Langgespenst, ruft daraufhin mit spöttischer Fistelstimme: »Ah, Fräulein Guy, sind Sie's? Gehen Sie rasch nach Hause, meine Teure, sonst könnten Sie zu Schaden kommen.« Kapitän Guy ist ziemlich krank und wird das Schiff bald verlassen, um das Kommando an den gemeinen, hitzköpfigen, immerzu besoffenen Steuermann Jermin abzugeben.

Langgespenst war der Schiffsarzt und genoss gewisse Privilegien, so durfte er etwa mit dem Kapitän Karten spielen und sich mit ihm besaufen. Nach einem politischen Disput aber war der Kapitän vom Doktor niedergeschlagen worden. Man hatte Langgespenst daraufhin bestraft, und anschließend war er geflohen. Als er zum Schiff zurückgebracht wurde, verzichtete er auf alle Vorzüge und beschloss, sich nur noch bei den gewöhnlichen Seeleuten aufzuhalten. Langgespenst erfreut sich eines von Melville gezeichneten Porträts:

Er war eine auffallende Erscheinung, über sechs Fuß groß, ein knochiger Riese mit vollkommen fahler Gesichtsfarbe, blondem Haar und hellen, unbekümmerten grauen Augen, die manchmal verteufelt boshaft blitzen konnten ... Mochte er auch noch so tief heruntergekommen sein, so hatte er doch sicher einmal Geld gehabt, Burgunder getrunken und in der vornehmen Welt verkehrt. Was seine Allgemeinbildung betraf, so zitierte er Vergil, sprach über Hobbes aus Malmesbury und deklamierte Gedichte, besonders »Hudibras«. Überdies hatte er viel von der Welt gesehen. So erzählte er auf die denkbar ungezwungenste Art von einer Liebschaft in Palermo... und von der Qualität des Kaffees, den man in Maskat trinkt.

Der Steuermann Jermin: »Das scharfgeschnittene Gesicht von tiefen Blatternarben gezeichnet«. Was das Übrige anging, so schielte er auf einem Auge grimmig, die Nase saß ihm schief im Gesicht, während er mit dem breiten Mund und den großen Zähnen »wie ein Haifisch aussah, wenn er lachte«. Als der kranke Kapitän vom Schiff gebracht wird und der besoffene Jermin das Kommando übernimmt, kommt es zur Meuterei, der sich Melville und Langgespenst anschließen. Die französische Fregatte *La Reine Blanche* liegt im Hafen von Papiti, nimmt die Meuterer auf und hält sie mehrere Tage unter Deck gefangen. Dann werden sie an Land in ein britisches Gefängnis gebracht, dessen Aufseher ein gemütlicher Mensch namens Käpten Bob ist.

Bei der beschriebenen Meuterei und der anschließenden Haftzeit muss man über lange Passagen unwillkürlich an eine Operette von Gilbert und Sullivan denken. Man lese nur, wie der englische Konsul Wilson ein Verhör durchführt:

»Ich will kein *aber* hören«, fuhr ihn der Konsul an, »antworten Sie mir mit *Ja* oder *Nein* – haben Sie irgendwas gegen Mr. Jermin vorzubringen?«

»Ich meine bloß, Sir, daß Mr. Jermin bestimmt ein guter Mann ist, aber ...«

»Das wär's also«, unterbrach ihn Wilson geschickt, »wie ich sehe, haben Sie nichts gegen ihn vorzubringen.«

Der Schauplatz in *Omu* ist geographisch weit gestreut, ganz anders als in *Taipi* mit seiner klaustrophobisch schönen Insel. Ein Übermaß an Ereignissen drängt sich auf, es wimmelt von Charakteren, zu denen der Amerikaner Zeke und sein Partner Shorty gehören, die auf einer Insel Yamswurzeln anbauen; es finden Essgelage der Eingeborenen mit Königin Pomaree und Familie statt, ein Gottesdienst in der Kokosnusskirche und eine ungewöhnliche Predigt, gleichsam die polynesische Variante des christlichen Glaubens. Zwischen den französischen Katholiken und den englischen Protestanten besteht eine harte Konkurrenz, doch beeindrucken Melville ihre Bemühungen nicht und *Taipis* Kritiker in Sachen Bekehrungseifer lassen ihn ungerührt.

Tatsächlich gibt es vielleicht keine Rasse auf der Erde, die von Natur aus weniger für die Lehren des Christentums prädestiniert ist als die Bevölkerung in der Südsee. Das behaupte ich bei voller Kenntnis der sogenannten »Großen Wiedererweckung auf den Sandwich-Inseln« um das Jahr 1836, als im Verlauf weniger Wochen mehrere tausend in den Schoß der Kirche aufgenommen wurden ... Überdies haben die Polynesier eine Eigenschaft, die mehr als sonst etwas der Heuchelei ähnelt. So kommt es, daß sie das leidenschaftlichste Interesse für eine Sache vortäuschen, für die sie in Wirklichkeit wenig oder gar nichts übrig haben, von der sie aber glauben, daß jene, deren Macht sie fürchten oder um deren Gunst sie werben, daran Gefallen finden.

Omu wurde am 30. März 1847 in England veröffentlicht, in den Vereinigten Staaten einen Monat später, nur wenige Wochen vor der Hochzeit mit Elizabeth Shaw. Das Buch fand zahlreiche Besprechungen, man verglich das neue Werk aufmerksam mit *Taipi* und zeigte sich schockiert über den mangelnden Respekt vor jenen Missionaren, die sich bemühten, den Ungetauften das Leiden und das Heil Jesu nahe zu bringen. Melville ist also verheiratet und zieht nach Manhattan in die Fourth Avenue, nur gut einen Häuserblock von der Fifth Avenue entfernt. Er mietet das Haus gemeinsam mit seinem ebenfalls erst seit kurzem verheirateten Bruder Allan und zieht mit Mutter und vier Schwestern, also sieben Melvilles, und zwei Ehefrauen ein.

Als D. H. Lawrence über *Taipi* und *Omu* schrieb, hatte er Folgendes über den frisch verheirateten Familienmann zu sagen:

Melville kehrte heim, um sich dem langen Rest seines Lebens zu stellen. Er heiratete und nach rauschhafter Verliebtheit folgten fünfzig Jahre Enttäuschung. Das ganze Haus war mit Enttäuschungen vollgestellt. Kein *Taipi* mehr. Kein Paradies. Keine Fayaway. Die Mutter: eine Gorgone. Das Heim: eine Folterstätte. Die Frau: ein Rohr im Wind. Das Leben: eine Art Schande ... Jeden Mann hätte diese schmähliche Angelegenheit gekrümmt. Melville krümmte sich achtzig Jahre lang.

Lawrence sagte Melville mehr Jahre des gekrümmten Lebens nach, als ihm zustanden, denn er starb mit zweiundsiebzig, und dieser Lesart zufolge geschah dies keinen Augenblick zu früh. Dennoch spricht so manches für die Freiheit des Kritikers und Lesers Lawrence, der in Melvilles Gefühlsleben die leere Seite spürt, das eigentlich so freundlose Leben. Melville wollte nicht bekannt sein; er schätzte die Anonymität, beharrte darauf.

Man denke an Danas *Zwei Jahre vor'm Mast – Vom Sklavenleben auf den alten Segelschiffen*: Sein »Ich« ist immerzu präsent und sagt uns, wer der Erzähler ist: Ein Mann aus Boston, der gern wohlbehalten nach Cambridge zurückkehren möchte, der Latein und Französisch studiert hat, aber Spanisch lernen musste, um den allzu vornehm gekleideten, spanischen Siedlern in Kalifornien Leben einhauchen zu können. Er macht den Eindruck eines »normalen« jungen Mannes, der meist fröhlich ist oder es doch zu sein wünscht und der ebenso entsetzt wie Melville über einen eingefleischten Sadisten von Kapitän ist, der einen hilflosen Matrosen auspeitschen lässt, bloß weil er das Recht dazu hat. Doch Dana selbst ist in diesem gewöhnlichen Menschen stets zu spüren, jemand, der von Harvard abgegangen ist, aber am Ende der Reise dahin zurückkehren wird.

Melvilles »Ich« ist ein Beobachter, ein Erzähler, der notfalls in die Handlung eingreift, der aber – *Redburn* ausgenommen, wo er, allerdings maskiert, persönlich auftaucht – nie gefragt wird, wer er ist oder woher er kommt, obwohl er, selbst ohne eigene Biographie, lebhaft daran interessiert ist, mehr über die Herkunft der übrigen Männer an Bord zu erfahren. Melville schreibt hemmungslos, kraftvoll, zielstrebig, unermüdlich – das ist sein ganzes Leben; selbst in den Jahren seines »Rückzugs« leistet er nach dem Tagewerk im Zollhaus sein Möglichstes. Er ist in die Sprache verliebt, ins Lesen, Nachdenken; er verreist, so oft er kann, um fortzukommen. Wir dürfen uns fragen, ob er um sein eigenes stürmisches Genie wusste. Dass er ein »Künstler« sein könnte, jemand mit ganz eigener Begabung, eigenen Privilegien, dieser Gedanke mag damals, in Amerika, manchem gekommen sein, Whitman auf alle Fälle, doch Melville selbst vermutlich nicht, der sein Genie einfach lebte, hilflos beinahe, wie es scheint.

Taipi und *Omu* haben Melville zum bekannten Schriftsteller gemacht. Der New Yorker Herausgeber von *Taipi* war Evert Duyckinck, ein Bonvivant und ein ziemlich bekannter Mann, der später Herausgeber der *Literary World* werden sollte, einer damals recht wichtigen Zeitschrift. In seinen unvergleichlichen Porträts heute zumeist vergessener Autoren und Verlegergrößen schreibt Edgar Allan Poe über Duyckinck:

81

Er ist etwa einsvierundfünfzig groß und eher schlank. Die Stirn muß, phrenologisch gesprochen, eine gute Stirn genannt werden, Augen und Haar sind von heller Farbe; insgesamt strahlt das Gesicht Gelassenheit und Güte aus und verstärkt so noch den Eindruck von Jugendhaftigkeit. Er dürfte um die dreißig sein, wirkt aber, als wäre er keine fünfundzwanzig. Die Kleidung entspricht völlig seinem Charakter, ist penibel gepflegt, doch unauffällig, und vermittelt sofort den Eindruck eines Gentlemans. Er ist Nachkomme einer der ältesten und angesehensten holländischen Familien des Landes. Verheiratet.

Poes kleiner Sketch in *The Literati of New York* gibt so gar keinen Eindruck vom Stil seiner witzigen, respektlosen Duelle mit den Dichtern und Romanciers männlichen wie weiblichen Geschlechts, den Vortragskünstlern und Herausgebern, ob verheiratet oder unverheiratet, attraktiv oder »eine Person, über die es nichts Wichtiges zu sagen gibt«. Sarah Margaret Fuller fällt ihm auf, und er findet, ihr Buch über die Frauen im neunzehnten Jahrhundert müsse zu den »Kuriositäten der amerikanischen Literatur« gezählt werden. Er lobt ihre Besprechung von Longfellow in *The Dial* und fügt zum Thema Longfellow noch hinzu: »Dieses offenkundige Scharwenzeln vor seiner gesellschaftlichen Stellung, seinem Einfluß, die Lobhudelei für das schöne Papier und den großen Drucktyp, dem Einband aus Saffianleder und den Goldrücken, das schmeichelhafte Selbstporträt..., dieses Maß an wahllosem Beifall, den man den Gedichten selbst weder zukommen lassen würde noch könnte, ist eine Schande für das Land.«

Melville hat Poe nicht kennen gelernt, doch weiß man, dass er dessen Gedichte und Geschichten gelesen hat. Mit dem geselligen Duyckinck wurden einige »literarische Abende« verbracht, bekannte Autoren jener Zeit getroffen, Bühnenstücke angesehen. Der Skandal vom Astor Place, dieses so merkwürdige New Yorker Ereignis, fand unweit von Melvilles Haus statt. Der englische Schauspieler William Macready trat in *Macbeth* auf, und irgendwie sah man darin eine Beleidigung von Edwin Forrest, der lokalen Shakespeare-Größe. Straßenbanden wie die *Plug-Uglies* und die *Dead Rabbits* riefen zum patriotischen Sturm auf das Theater auf, warfen Steine, zerdepperten Scheiben und zwangen Macready in die Flucht, die ihm mit John Jacob Astors und Washington Irvings Hilfe auch gelang. Eine spätere Aufführung wurde ebenfalls von den Rebellen gestürmt, doch trafen sie diesmal auf dreihundert Polizisten und zweihundert Soldaten der staatlichen Miliz. Die Ordnungskräfte feuerten in die Menge und töteten knapp zwei Dutzend Aufrührer. Damals wurde aufmerksam vermerkt, dass Herman Melville zu den Unterzeichnern einer Bittschrift gehörte, die dafür eintrat, dass Macready auf der Bühne erscheinen und seine klassische Kunst zeigen durfte.

Mardi, eine Anomalie. Auch für dieses Werk, das 1849 *Taipi* und *Omu* folgte, verließ Melville nicht die See, wich aber von der Berichterstattung über jene vier Jahre im Pazifik ab, die er erst mit *Weiß-jacke* wieder aufgreifen sollte. Es scheint, als habe er irgendwie Geist und Verstand sowie den Flug seiner Phantasie ehren wollen, die sich hoch über den autobiographischen Wechsel von Schiff zu Schiff aufgeschwungen hatte, die Landgänge hier und dort, die mehr oder minder wahrheitsgetreue Erzählung. Leslie Fielder nannte *Mardi* ein »Flitterwochenbuch«, und vielleicht steht es für die Reise zu neuen Höhen.

Das Buch beginnt auf einem Walfänger, der *Arcturion*, einem heruntergekommenen Schiff, das nicht den kampfeslustigen Pottwal, sondern den »griesgrämigen und trägen« Blauwal jagt. Beiläufig merkt der Kapitän an, dass der Schriftsteller doch gehen möge, »wenn er kann«. Und so macht sich dieser in einem Beiboot von Bord, wie stets mit einem Gefährten. Das ist Jarl von der Insel Skye, Jarl mit Wikingerblut in den Adern. Nach einigen »unvorsichtigen Anspielungen auf die Belles-Lettres« zeigt Jarl angemessenen, wenn auch ungebildeten Respekt für das erzählende »Ich« als einen ganz besonderen Matrosen.

Wie ein Kuchen mit Pflaumen, so sind die ersten Seiten von *Mardi* mit Namen gespickt: Spinoza, Kant, Luther, Rabelais, Buffon, Sir Thomas Browne, »der die ›vulgären Irrtümer‹ ausräumte, dann aber beherzt an den Mysterien des Pentateuchs festhielt«, Wouwermans, »der einst eine Stierhatz malte«, und Claudes »untergehende Sommersonnen«. Der vorherrschende Ton ist von angenehmer Heiterkeit, und ebenso heiter ist die Gefühlslage. Wäre Melville die Fiktion nicht derart wichtig gewe-

sen, könnte man sein Buch für einen etwas lang-
atmigen *jeu d'esprit* halten, denn *Mardi* ist etwa genauso lang wie *Moby-Dick*, wenn nicht gar einige
Seiten länger.

Das Beiboot legt an manch phantastischer Insel
an, und der Erzähler wird zu Taji, dem von den
leichtgläubigen Eingeborenen sehnlichst erwarte-
ten Sonnengott. Auf seinem Weg wird Taji Yillah
retten, die weißhäutige Prinzessin mit goldenem
Haar, und beide tauchen in ein Meer der Glückseligkeit ein, bis Yillah verschwindet, um nie wieder
aufgefunden zu werden, was vermuten lässt, dass
die schöne Geliebte bloß ein Phantom gewesen war.
Die Handlung wird von allerhand »Rezitativen«
über die Sagenwelt und die phantastische Vergangenheit der Insel unterbrochen. »Eine Geschichte!
Hört ihn an: Der erhabene Philosoph wünscht, uns
mit einer Erzählung zu erfreuen! Doch bitte, beginnt.«

Den von Hershel Parker gesammelten Rezensionen kann man entnehmen, dass es wohl oftmals
schwer fiel, sich Melvilles uferloser poetischer Prosa
zu entziehen: »Kehr um, o Herman, laß ab vom wol-
kigen, überirdischen Höhenflug«. Oder derglei-
chen. Dass *Mardi* ein Flop werden könnte, hatte
sein Verfasser offenbar nicht vorhergesehen, der
als nun professioneller Autor geglaubt hatte, der
Öffentlichkeit eine Ruhepause von seinen jugendlichen Reisen gönnen und seine inzwischen angesam-
melten Fähigkeiten in Komposition und Imagination zeigen zu dürfen.

Man kann sich kaum vorstellen, wie Melvilles
Bücher eigentlich geschrieben wurden, wie lange er

für einen Roman brauchte, da sie wie Mehrlings-
geburten kopfüber herauspurzelten, eins nach dem
anderen. *Redburn* wurde fünf Monate nach *Mardi*
veröffentlicht und *Weißjacke* vier Monate später.
1849 unternahm er eine viermonatige Reise nach
London und aufs europäische Festland, und Malcolm, sein erster Sohn, wurde einen Monat vor
Mardi geboren, zwei vor *Redburn*. Eine wahrhaft
fruchtbare Zeit.

In London trat Melville als bekannter Schriftsteller auf, traf sich mit seinen Verlegern, dinierte
mit den Berühmtheiten des Verlages, besuchte jedes Museum und jede Kathedrale, kaufte Bücher
und zog dann weiter nach Paris, Brügge, Brüssel,
Köln – gleichsam die Grand Tour eines überaus eif-
rigen Studenten. *Weißjacke* wurde in London veröffentlicht, während er sich in der Stadt aufhielt,
und erschien einen Monat später in New York. Der
Untertitel des Buches lautet *Das Leben auf einem
Kriegsschiff*. Nach einigen Monaten auf einem anderen Walfänger heißt es in den einleitenden Bemerkungen zu *Weißjacke*: »Im Jahre 1843 heuerte
ich als ›gewöhnlicher Matrose‹ auf einer Fregatte
der Vereinigten Staaten an, die damals in einem Hafen des Pazifischen Ozeans ankerte. Nach mehr als
einem Jahr wurde ich bei der Ankunft der Fregatte
im heimatlichen Hafen aus den Diensten der Marine entlassen. Meine Erlebnisse und Beobachtun-
gen an Bord dieses Kriegsschiffes sind in den vor-
liegenden Band eingeflossen.«

Weißjacke ist offensichtlich in der für Melville
üblichen Eile und mit seiner gewohnten, verblüffenden Erzählkunst geschrieben, die sich diesmal

vor allem dem Aufbau und dem Alltag der U. S. Navy widmete. Die weiße Jacke ist wohl eine Art Witz, doch ein ziemlich lahmer Witz. Statt des üblichen Kolanis trägt der Erzähler an Bord eine warme, weiße Jacke aus Entendaunen, nur scheint dieses Kleidungsstück außer einer absichtlich mangelhaften Anpassung an das Leben auf einem Kriegsschiff nichts weiter zu symbolisieren. Sieht man einmal von den Anmaßungen des Kommandanten und seiner Offiziere ab, geht es auf dem Schiff angenehmer als auf einem Walfänger zu. Es gibt eine Bibliothek, die Mannschaft ist ein überwiegend sympathischer Haufen, und die einzelnen Charaktere prägen das Buch. Einer ist ein kleiner Kerl, der Gedichte schreibt, ein anderer heißt Selvagee (Wantstropp): »Mit der hartnäckigen Weichlichkeit des echten Dandys setzte er seine Kölnischwasserbäder seelenruhig fort und trug mitten im dicksten Sturm seine Spitzentücher zur Schau.«

Und dann ist da noch die Freundschaft mit einer tatsächlich lebenden Person, mit Jack Chase, dem *Billy Budd* gewidmet wurde. »Er war Brite, und zwar ein waschechter; langaufgeschossen und kräftig gebaut, mit klarem, offenem Auge«, ein Gentleman, höflich und belesen, der Teile des großen portugiesischen Poems *Die Lusiaden* von Camões im Original zitieren konnte. »Jack trank gern ein Gläschen, war aber ansonsten ein freier Geist, stark und doch gerecht, ein Vorkämpfer für die ›Menschenrechte‹.«

Die eindrucksvollsten Szenen im Buch beschreiben die bestialischen Auspeitschungen. »Alle Mann zur Bestrafung an Deck!«; und genau so ist es, alle Mann müssen an Deck, als nähmen sie an einem feststehenden Ritual teil. Das erste Mal werden vier Mann der Besatzung ausgepeitscht, einer nach dem anderen; jedem wird vorgeworfen, sich wegen irgendeiner Kleinigkeit geprügelt zu haben. Wenn dem Empfänger der Strafe der Tod zu drohen scheint, bevor die festgesetzte Anzahl von Hieben verabreicht wurde, wird er fortgeschickt, um sich zu erholen, ehe dann die verbleibenden Schläge ausgeteilt werden. Melville verfasst seinen eigenen Kriegsartikel:

Ohne Rücksicht auf nebensächliche Erwägungen erklären wir, daß das Auspeitschen in der Flotte der innersten Menschenwürde entgegensteht, die zu verletzen kein Gesetzgeber das Recht hat; daß dieses Strafmittel tyrannisch ist und mit himmelschreiender Ungerechtigkeit angewandt wird. Ja, daß es dem Geist unserer demokratischen Verfassung ganz und gar widerspricht, – daß sich in der Tat ein hartnäckiger Rest aus den schlimmsten Zeiten einer barbarischen Feudalherrschaft darin verbirgt.

Das Jahr 1850: Melville hat seine Familie nach Pittsfield gebracht, zur Farm des Großvaters, die längst von Robert, dem windigen Sohn des auf Abwege geratenen Onkel Tom, zugrunde gerichtet worden ist. Hier, während der Sommerferien, umgeben von den vielen müßigen Melvilles, den Babys und Besuchern, gelingt es Herman irgendwie, von *Weißjacke* zu *Moby-Dick*

88

voranzuschreiten. Furchtloses Eintauchen in unbekannte Tiefen. Da drängt sich die Frage auf, warum er nicht aufhörte, bis zum Hals in Schulden, an Land festsitzend und mit Hilfe fragwürdiger Darlehen bald im Besitz von Arrowhead. Diese Umstände sind Melville so vertraut wie eine zweite Haut: unaufhörlich drohender Bankrott und unaufhörlich schreiben. Seiten, die an widerwillige Adressaten geschickt werden, dann das nächste Buch.

Dort, im ländlichen Massachusetts, wird er Hawthorne kennen lernen und nach Hause gehen, um eine anonyme Besprechung der Kurzgeschichten *Mosses from an Old Manse* zu schreiben, die in der *Literary World* veröffentlicht werden sollte. Dabei ging es ihm nicht um eine genaue Lektüre der Geschichten, sondern um eine überschwängliche Würdigung der von Hawthorne geschaffenen Atmosphäre, seiner »Düsternis«, dem melancholischen Blick auf das Schicksal der Menschen und dem falschen Urteil der Öffentlichkeit, die ihn für einen lächelnden, sonnigen Schriftsteller hielt. Eine prinzipielle Feststellung: *Die Macht der Düsternis*, die von Hawthorne und natürlich auch die von Melville.

Ob Hawthorne sich diese mystische Düsternis zunutze macht, um damit jene wundersamen Wirkungen hervorzurufen, mit denen er sein Licht und seine Schatten schafft, oder ob sich in ihm tatsächlich, wovon er selbst vielleicht nichts weiß, eine Spur puritanischen Trübsinns findet – das kann ich nicht mit Gewißheit sagen. Fest steht jedoch, daß diese Macht der Düsternis ihre Faszination aus jener calvinistischen Überzeugung von der Erbsünde und der angeborenen Verworfenheit des Menschen gewinnt, gegen deren Auswirkungen in der ein oder anderen Form kein wacher Verstand immerdar und gänzlich gefeit ist.

»Mir ist, als hätte dieser Hawthorne keimenden Samen in meine Seele gestreut.« Hawthorne und Melville lernten sich in den Berkshires kennen, und aus dieser Begegnung erwuchs eine für Melvilles Leben einzigartige Freundschaft, einzigartig in ihren Anregungen wie in ihren Enttäuschungen. Die Hawthornes erfuhren, dass Melville der Autor jener anonymen Rezension war, »der Schock gegenseitigen Erkennens«. Hawthorne hatte allerdings auch die wohl interessanteste Besprechung von *Taipi* verfasst, sodass eine gewisse Gegenseitigkeit im Erweisen literarischer Nettigkeiten und Würdigungen gegeben war. Im Haushalt der Hawthornes ging es weit geruhsamer als bei den Melvilles zu: Der Charakter des Gatten Nathaniel wies offenbar eine Spur häuslichen Familiensinn auf, die dem Gatten Herman abging. Sophia Hawthorne zeigte sich in ihren Briefen von dem jüngeren Bewunderer zudem durchaus angetan. Er wurde eingeladen, einige Nächte im Haus zu verbringen, eine Gunst, die nicht häufig gewährt wurde.

Moby-Dick ist Hawthorne gewidmet, der es lobend gegenüber dem Herausgeber erwähnte und sich sogar gegen eine Notiz in der *Literary World* verwahrte, über die sich Melville besonders geärgert hatte. Er schrieb keine Besprechung, doch verfasste er einen letzten Brief, der den jungen Mann zu einer flammenden Erklärung veranlasste:

Ein Gefühl unaussprechlicher Gewißheit erfüllt mich in diesem Augenblick, da Sie mein Buch verstanden haben. Ich habe ein hinterhältiges Buch geschrieben und fühle mich doch makellos wie ein Lamm ... Woher kommt Ihr, Hawthorne? Mit welchem Recht trinkt Ihr aus meinem Krug des Lebens? Und führte ich ihn an meine Lippen, sind es die Ihren, nicht meine. Ich spüre, daß der Gott zerbrochen wurde wie das Brot beim Letzten Abendmahl, und daß wir die Bruchstücke sind. Daher dieses grenzenlos brüderliche Gefühl.

Mit Hawthorne verband Melville die einzige intellektuelle und kreative Freundschaft seines Lebens, in ihm hatte er jemanden gefunden, der wie er vom Schrecken und der düsteren Gleichgültigkeit des Universums betroffen war. Die Intensität der Verehrung, der Verbundenheit konnte nicht erwidert werden – dafür hatte Hawthorne seine Sophia Peabody. Melville hielt mit seinen Gefühlen nicht hinterm Berg; ihn belebte die Sehnsucht nach einem Spiegelbild des eigenen Kampfes, um seine Lebensvision zu würdigen, seine Erfahrungen im Kampf mit Wörtern, Bildern, Absätzen, dem Aufbau eines Buches, den vielen, vielen Seiten. Er wollte mit Hawthorne das Schicksal eines

Schriftstellers in Amerika teilen, das zerfetzte Banner mit ihm tragen: Im Scheitern erweist sich die Größe. Doch gab es da ein Auseinanderklaffen der Temperamente, eine Ungleichartigkeit der Passion.

Hawthorne ist in jeder Hinsicht der gefälligere Mensch und Bürger, zumindest im Vergleich mit Melville, der selbst im gesetzten Eheleben viel von einem Renegaten an sich hatte, von jemandem, den die Narben des Wissens, der Qual der Wahl, der trostlosen Kehrseite des Lebens zeichneten. Als Melville mit der *Acushnet* segelte, hatte Hawthorne längst das Bowdoin College in Maine hinter sich gelassen, auf dem Longfellow und Franklin Pierce, der spätere Präsident der Vereinigten Staaten, seine Studienkollegen gewesen waren. Melvilles Kameraden dagegen waren versoffene, geschlechtskranke, dickfellige, brutale Herumtreiber gewesen, an denen man auf der Straße eilig vorübergehen würde. Bleibt festzuhalten, dass Hawthorne später die Stelle eines Konsuls in Liverpool bekleidete, dass aber seine Empfehlung, Melville einen ähnlichen Posten zukommen zu lassen, zu nichts führte. Offenbar schien Melville dafür nicht geeignet.

Als Melville Hawthorne kennen lernte, war er äußerlich ein Gentleman und hatte den Großteil seiner Arbeit vollbracht, selbst der Anfang von *Moby-Dick* war geschrieben. Doch Melville war bedürftig wie ein Waisenkind, und Pittsfield war kein Schiffsdeck. Zwar kam die Beziehung ihnen beiden zugute, doch war der jüngere, fordernde Schriftsteller irgendwie zudringlich, zu sehr präsent, nicht *in persona*, aber in gedanklicher Identifikation. »Reich an verschluckten Antworten«, eine Formulierung aus Melvilles langem Gedicht *Clarel* könnte, so F. O. Matthiessen, Melvilles spätere Gefühle für Hawthorne ausdrücken.

Moby-Dick

»*Nennt mich Ismael*«: Diese drei Wörter, die klangvolle, heroische Anrufung des *Moby-Dick*, des un-
verhofft zum Meisterwerk geratenen Romans eines
verkannten Skribenten. Ismael und Ahab: Namen
so gnadenlos, passend und dauerhaft, dass sie allein
die Wurzeln der Inspiration sein könnten, die Melville ergriff, ihn gleichsam überflutete. Es sind einzigartige Namen, wenn auch nicht sonderlich viel
versprechend für Jungen, die ihr Leben lieber unter
der schützenden, väterlichen Hoffnung von Namen
wie Abraham, Moses, Josef oder Noah beginnen
sollten.

Ismael, ein »wilder Mensch«, von Abraham mit
listigem Einverständnis der alten, unfruchtbaren
Sara gezeugt und von der Magd Hagar geboren: ein
modernes kleines Drama in der Heiligen Schrift.
Hagar, schwanger mit ihrem Mannkind Ismael, gezeugt vom übermächtigen Abraham, benahm sich
im Stolz auf ihre Fruchtbarkeit anmaßend und he-
rablassend zu ihrer Herrin, der Matriarchin, die dies
nicht stumm und geduldig ertrug. Göttliche Inter-
vention wurde für Saras Zustand bemüht: »Der
Herr hat mich verschlossen«, und deshalb heißt es
in gefälliger biblischer Wendung: »Gehe doch zu

meiner Magd, ob ich vielleicht aus ihr mich aufbauen möge.« Doch Isaak, der Erbe von Abrahams Reichtümern und seines besonderen Bundes mit Gott, wird geboren, und die Hausherrin Sara rächt sich an Hagar, die mit ihrem Kind Ismael aus dem Hause flieht. Abraham, der betagte Erzeuger, steht zu seiner Verantwortung für den Bastard, übernimmt Unterhalt und Kosten; das Kind wird beschnitten und seinem Schicksal entgegengesandt, das da heißt, eine Ägypterin zu heiraten und der »Vater« aller Beduinenstämme zu werden.

Ismael, der Icherzähler in *Moby-Dick*, ist die kreative Kraft des Romans. Im wirklichen Leben war der Matrose Melville selbst notgedrungen ein wilder Mann, der die Wüsteneien von Atlantik und Pazifik durchstreifte. Vielleicht lächelte er ironisch, als er an seinem Schreibtisch in den Berkshires zwischen Bäumen und Äckern diesen Namen wählte. Vielleicht auch nicht.

Ahab, einer der Könige Israels, nimmt die verruchte Isebel zur Frau, betet den heidnischen Gott Baal an und findet ein schlimmes Ende. Melvilles Ahab hat im Kampf mit dem weißen Wal Moby-Dick ein Bein verloren. Sein Leben, sein Innerstes wird von dem wilden Verlangen verzehrt, auf den Meeren nach Rache für diese schreckliche Verletzung zu suchen. So könnte man behaupten, dass Ahab der Götzenanbetung schuldig wurde, einer sündhaften Vergötterung persönlicher Wünsche, einer blasphemischen Missachtung der Natur, der Meere und der in ihm enthaltenen Geschöpfe, einer agnostischen Missachtung seiner Mitmenschen, der Mannschaft, die mit ihm untergehen wird. Doch

Moby-Dick ist ein Roman und Ahab ein ruppiger alter Seebär aus Nantucket, geschaffen von einer reichen, alles verschlingenden Phantasie, gewiss, doch auch geprägt von schlichtem Leid und Verlust, all dies in herrlicher, kompromissloser Sprache vorgebracht.

Moby-Dick erschien 1851, Melville war zweiunddreißig, gerade mal zweiunddreißig, fünf Romane hinter sich, anfangs Erfolg, später reichlich Misserfolg, eine Frau, ein Sohn; ein weiterer Junge sollte vier Tage nach Erscheinen der englischen Ausgabe geboren werden. Bäume und Äcker und Schulden. Noch ein Seemannsgarn, diesmal mit solch ungeheurem Anspruch erzählt, dass die früheren Geschichten dagegen wie bloße Abenteuerbücher wirken. Da ist die alte Grausamkeit des Berufs, die den raubgierigen Menschen, die Walfänger, zu den Gegenspielern des mächtigen Monarchen der Meere macht, dort der Wal mit einem Namen, einer Geschichte: Ahabs Harpunen »hat er alle in sich, verdreht und verbogen«, und für ihn hat Ahab sein Bein gegeben. Ein brudermörderischer Kampf ist es, der Wal personifiziert durch die weiße Farbe, durch seinen Namen, seine Einzigartigkeit in der Geschichte Ahabs, der während der vierzig Jahre auf See viele Wale getötet und Moby-Dick zu seinem verhassten Todfeind erklärt hat.

Der überwältigende Roman beginnt schlicht und fröhlich mit Ismael auf den Straßen Manhattans, der Metropole mit zwei Flüssen. Selbst die zahmen Wasser der City regen die Städter zu müßigen Träumen an, so mächtig wühlen die Wasser der

97

Erde ihre Phantasie auf. »Und in allen Flüssen und Meeren sehen wir dasselbe: das ewig ungreifbare Spiegelbild des Lebens. Das ist der Schlüssel zu allem.« Ismael, ein junger New Yorker, beschließt, auf einem Walfänger anzuheuern, getrieben von der »überwältigenden Vorstellung von dem großen Wal selbst… Rätselhaft und urbedrohlich, reizte das Ungetüm all meine Wissbegier.« Und in dieser Träumerei zu Beginn deutet sich das Künftige bereits an:

Die hohen Schleusen der Wunderwelt taten sich auf: Aus den verwegenen Bildern meiner Phantasie, die mich verlockt hatten, schwammen mir Wale, ein Paar um das andere, in endlosem Zuge bis tief in die Seele hinein und mitten unter ihnen die eine verhüllte Erscheinung, ungeheuer wie ein weißer Schneeberg im Äther.

So macht sich Ismael nach New Bedford und Nantucket auf, den Häfen Massachusetts, um sich der *Pequod* anzuschließen, ihrem Kapitän Ahab und den übrigen Matrosen in diesem Mahlstrom, dieser erbarmungslosen Suche, um sich den windstillen Tagen und der gefährlichen Energie eines Taifuns zu stellen, bis endlich der Wal und der Kapitän, diese fanatischen Gladiatoren, in ihrer unbezähmbaren Wut dafür sorgen, dass »von der *Pequod* kein Span mehr zu sehen war«. Dort draußen das wogende Meer, doch Melvilles Genie lässt diese prall bevölkerte, weitschweifige, epische Erzählung auf den gepflasterten Gassen von New Bedford und Nantucket beginnen, mit Ismaels

Übernachtungen im »Gasthaus zum Walfisch«, so jungenhaft und verblüffend dies auch wirkt. Da für ihn kein Zimmer mehr frei ist, muss sich Ismael das Bett mit dem Harpunier Quiqueg teilen, dessen Auftritt hinausgezögert wird, dem »dramatischen Effekt« zuliebe.

Doch er tritt auf: Eine hünenhafte Erscheinung, von Kopf bis Fuß mit Tätowierungen bedeckt. »Er war ganz kahl – das bißchen Haar war wenigstens nicht der Rede wert – nur vorn auf dem Skalp hatte er einen dünnen aufgedrehten Knoten. Wie ein halbverwester Totenkopf sah er aus mit seiner puterroten Glatze... Als ich bei Morgengrauen erwachte, lag Quiquegs Arm liebevoll und zärtlich quer über meiner Brust, beinahe als wäre ich seine Frau.« Nach einer weiteren Nacht fahren sie von New Bedford nach Nantucket.

Ich weiß nicht, wie es kommt: wenn Freunde einander etwas anzuvertrauen haben, so geht's am besten im Bett. Mann und Frau sollen ja die tiefsten Tiefen ihrer Seele dort voreinander auftun, heißt es, und manches alte Ehepaar liegt oft bis gegen Morgen wach und erzählt sich von alten Zeiten. So lagen denn auch wir in den Flitterwochen unserer Freundschaft, Quiqueg und ich – wie ein vertrautes Liebespaar.

Unschuld in der Auslegung, unserer Auslegung, über hundert Jahre später, Unschuld in der Phantasie? Das warme Bett im »Gasthaus zum Walfisch«, der junge Ismael und der abscheulich verunstaltete »Kannibale«? Eine lyrische, irgendwie tropische

Schwärmerei, ein Lobgesang auf die Freundschaft, mag sein. Doch mit fortschreitender Erzählung nimmt die bedingungslose, die unschuldige erotische Lyrik phantastische Ausmaße an, ein wilder, sonnenheller Strom von Adjektiven, eine nachhaltige, klangvolle Explosion reinen Gefühls, die aus dem überreichen Walrat des großen Meerestieres aufsteigt.

Die *Pequod* ist auf See; ein Pottwal ist erlegt und ausgenommen worden, und auf Deck wird der Walrat zur kommerziellen Weiterverwendung in große Balgen gefüllt. Klümpchen, die sich geformt haben, müssen wieder zerdrückt werden. Ismael, also »ich«, erzählt von dem einzigartigen Wohlgefühl, das er empfindet, wenn er seine Hände ins Fass taucht, um die Kügelchen zu zerquetschen.

So ging der Morgen hin. Ich preßte und preßte, bis ich mich selber mit einschmelzen fühlte, preßte und preßte, bis sich mir schier die Sinne verwirrten – preßte und preßte auf einmal die Hände meiner Kameraden, die ich von den zärtlichen Kügelchen nicht mehr unterschied ... Wir wollen uns die Hände drücken, ganz fest, bis wir miteinander eins werden im lauteren Öl der reinen Herzensgüte!

Zurück zu den ersten Seiten von *Moby-Dick*, Seiten einer starken, glücklichen Struktur als Gegengewicht zur grenzenlosen Fahrt, den Monologen, den enzyklopädischen Einschüben über die Ausmaße eines Walfängerschiffs, die Spezies der Wale, die damals gebräuchlichen Gerätschaften und stets die

Fabel vom einfallsreichen Umfang.[4] Auf den Straßen von Massachusetts imaginative Wolken der Vorahnung, die Schatten des verblüffenden Verlaufs vom Schicksal des Kapitän Ahab höchstselbst.

Die ehelichen Nächte in New Bedford werden von einem sonntagmorgendlichen Besuch der Walfängerkapelle und der Predigt von Vater Mapple unterbrochen. Die Kapelle ist Aufbewahrungsort rührender Marmortafeln, »gewidmet den über Bord gespülten Männern«, einem Kapitän Hard, der »an der Küste von Japan von einem Wal erschlagen« wurde, einer Tafel zum Gedenken an sechs Mann Besatzung, »von einem Wal verschleppt«, gestiftet von den überlebenden Bordkameraden. An dieser Stelle sinniert Melville, wie so oft in seinem Werk, in mahnender Manier über den Brauch der kirchlichen Trauer um die Toten, die, so sagt die Religion, aus ihrem feuchten Grab zu einer Ewigkeit »unaussprechlichen Glücks« aufsteigen werden. »Der Glaube aber findet wie ein Schakal noch in Gräbern, was ihn nährt, und gewinnt aus tödlichen Zweifeln die gewisse Zuversicht des Lebens.«

Vater Mapple hat seine Kirche wie ein Schiff ausgebaut und entert die Kanzel mittels einer Knüppelleiter, als wäre sie der Großtopp eines Schoners. Er fordert seine Gemeinde auf zusammenzurücken:

---

[4] Der bekannte Kritiker R. P. Blackmur mochte Melville nur unter Vorbehalt einen Meister der Prosa nennen. Er sprach ihm eine ausreichende Bildung ab, auch fehle die Begabung des »geborenen« Romanciers. »Technische Mängel« stellte er fest sowie »eine unzulängliche Beziehung zwischen dem Schriftsteller und den formalen Elementen seines Mediums«. *The Lion and the Honeycomb* (Harcourt, Brace, 1965).

»Steuerbordgang, schließ auf nach Backbord, Backbordgang nach Steuerbord!«, und mit dieser maritimen Verwandlung beginnt er seine unvertäute, unvergleichliche Predigt über Jona. Der alte biblische Schurke wird als gemeiner Schwindler hingestellt, einer vom zwielichtigen Gesindel, wie man es in jedem Hafen herumlungern sieht. Als er an Bord kommt, halten ihn die Schiffskameraden für einen Ganoven, einen Bigamisten, einen der aus Sodom geflüchteten Mörder. Der ebenfalls misstrauische Kapitän nimmt Jona an Bord, weil er ein zahlender Passagier ist. Vater Mapple: »Jonas Kapitän gehörte zu den Leuten, die eine untrügliche Witterung für das Verbrechen haben, es aber nur beim armen Schlucker entlarven können, weil's ihnen ums Geld geht. – Ja, Kameraden, die Sünde reist in dieser Welt frei und ohne Pass, solange sie das Fährgeld zahlt; die Tugend kommt mit leerem Beutel und wird an allen Grenzen angehalten.«

Ein falscher Jona, erlöst und dank eines vergebenden Gottes wieder aus dem rumorenden Magen eines Walfisches ausgespuckt, da er sein sündhaftes Leben bereut hat, ist ein vertrautes Bild in der christlichen Religion. Doch die großartige Beredsamkeit des alten Walfängerpredigers Vater Mapple speist sich aus dem dunklen Wissen um das verderbte und verderbende Leben der Jäger und Mörder der Wale.

Als Ismael und Quiqueg in Nantucket an Bord der *Pequod* gehen wollen, folgt ihnen ein abstoßender, schwatzhafter alter Seemann, der auf den Namen Elias hört, den Namen der biblischen Geißel des biblischen Ahab. In einem grotesken Einschub »heimtückischen Teufelzeugs« drängt sich Elias den beiden auf und deutet ein Unglück oder Schlimmeres für ihre Fahrt an. »Dann auf Wiedersehen! Vor dem jüngsten Tag wird's wohl nichts werden!«

Wieder eine kunstvoll eingeflochtene Andeutung, die den Boden für Ahab bereitet, der sich erst blicken lässt, als das Schiff bereits mehrere Tage auf See ist. Zwei alte Walfänger, jetzt Landratten, doch ehemals Schiffskameraden von Ahab, zeigen in einem Gespräch mit Ismael und Quiqueg über deren Eignung als Matrosen, wie sehr eine Beschreibung Ahabs, dieses menschlichen Rätsels, für gewöhnliche Menschen zu einer Herausforderung werden kann.

»Krank, nein – das ist er wohl nicht, aber gesund ist er auch nicht.«

»Ein großartiger Kerl, gottlos wie ein Gott.«

»Glaube mir, der ist nicht wie die andern. Auf Universitäten hat er gesessen und bei den Menschenfressern ist er gewesen.«

»Seitdem ihm der verfluchte Wal das Bein abgerissen hat auf der letzten Reise, seitdem hat er trübe Stunden, zum Verzweifeln trübe – und manchmal wird er auch wild.«

»Er ist übrigens verheiratet, mein Junge, erst drei Reisen ist das her. Ein liebes Ding ist sie, fügt sich in alles. Das darfst du nicht vergessen. Er hat auch ein Kind von ihr, der alte Mann.«

»Nein, mein Junge: ein geschlagener Mann, ein gebrochener Mann, das mag Ahab wohl sein. Ein Unmensch ist er nicht.«

Die *Pequod* und ihr launischer Kapitän tauchen in einen ungewissen Nebel ein. Das Bein verloren an einen Wal, doch noch ist es kein weißer Wal namens Moby-Dick. Nachforschungen haben den Ursprung des Namens aufgedeckt: »Mocha Dick – oder der weiße Wal des Pazifiks« von J. N. Reynolds, erschienen 1839 im *Knickerbocker magazine*, worin berichtet wird, dass der weiße Wal in den Sagen der Seemänner über wundersame Kräfte verfügt wie auch über die tückische Entschlossenheit, sich und seine Art an den Harpunen schleudernden Schiffen zu rächen.

Für die tatsächliche Zerstörung der *Pequod* durch Moby-Dick schob sich das Buch *Narrative of the Most Extraordinary and Distressing Shipwreck of the Whale-Ship Essex* von Owen Chase (1821) – ein grausiger Fall, ein vom Wal zerschmettertes Schiff – in Melvilles Gedanken, um durch eine erstaunliche, Ehrfurcht gebietende Sprachgewalt und durch Ahab, für den es keine Vorläufer in der Literatur außer der gesamten Literatur selbst gibt, verwandelt zu werden.

Die Mannschaft der *Pequod*: Malaien, Parsen, Afrikaner: »Auch auf der *Pequod* waren lauter Insulaner, ›Isolatos‹ möchte ich sie nennen; sie waren nicht auf dem Kontinent daheim, wo die vielen wohnen, sondern jeder in einer Welt für sich.« Die Offiziere sind weiße Amerikaner, Neuengländer, und unter diesen ist keiner so lebendig, so qualvoll menschlich wie Starbuck, der Erste Steuermann, derjenige, dessen Untergang schließlich am stärksten schmerzt. Starbuck wurde auf Nantucket geboren, wuchs als Quäker auf, ist dreißig Jahre alt, hat eine junge Frau und ein Kind. Dort steht er, in der Befehlsgewalt nach Ahab der Nächste, Verstand und Erfahrung für ihn die reinste Folter, denn er sieht den Untergang kommen. Ahab will diesen Untergang, er verlangt ihn für sich als Ausdruck seiner selbst, als Ausdruck dessen, was er ist, dessen, dem sich sein Wille verschrieben hat, und dieser Wille erfüllt ihn mit einer seltsam kontemplativen Energie. Der sich hilflos windende Starbuck zeigt ein Leid von einer anderen Sorte als Ahabs verwundeter Leib. Ahab ist der Kapitän, und als Kapitän kann er barbarische nautische Verstöße begehen, etwa den Oktanten zerschlagen, der die Männer in den Hafen und nicht fort von aller Sicherheit führen sollte, in jene Richtung nämlich, die Ahab zufolge der weiße Wal eingeschlagen hat. Starbuck:

Deshalb war es nicht nach seinem Geschmack, nach Sonnenuntergang die Walboote zu Wasser zu lassen oder einem besonders hartnäckigen Wal mit der gleichen Hartnäckigkeit zu begegnen. »Ich vertraue mich der See an, um mich durch den Wal zu ernähren und nicht die Wale durch mich.« Das war sein Gedankengang; denn daß Hunderte bei dem Handwerk ihr Leben gelassen hatten, wußte er wohl. War es denn seinem Vater anders ergangen, und wo sollte er in der unergründlichen Tiefe nach dem zerrissenen Leichnam seines Bruders suchen?

Auf dem Deck Ahab, der die Männer ermahnt, den weißen Wal mit dem flammenden Eifer des eigenen Kreuzzuges zu verfolgen, und Starbuck: »Rache an einem unvernünftigen Tier? Bloß weil's euch aus blindem Trieb so zugerichtet hat? Das ist Wahnsinn! Wut haben auf etwas, das keinen Verstand hat, Sir, das ist Frevel!« Starbucks klare Einsicht spiegelt das Ausmaß seines Elends, die vernichtende Paralyse auf diesem Schiffskerker, das Mitleid für den rasenden Alten, seinen Kapitän, die Vormacht des Meeres und die Zerbrechlichkeit der Schiffe, die es bezwingen wollen, der primitive Wagemut der Walfänger, durch den sie sich ihre Verachtung der Kauffahrer verdienen. Starbucks Einsamkeit sind die Reste seines Gewissens, das die Ansprüche einer zivilen Ordnung anmahnt, einer Ordnung, die sich von der strukturierten Autokratie auf einem Ozeanschiff unterscheidet. Der Anspruch des Lebens gegen Ahabs schonungslosen Sturz in einen metaphysischen Tod, den wahrhaften Tod.[5]

In einem ergreifenden Kapitel mit der Überschrift »Die Muskete« wird Starbucks Charakter auf die Probe gestellt, eine Probe seiner gequälten Vernunft, während die Handlung weiter ihren katastrophalen Lauf nimmt. Ein schwerer Taifun, dann flaut der Wind ab. Starbuck geht nach unten, um dem Kapitän Meldung zu machen, dass die Gefahr

---

[5] Newton Arvins Kapitel »Der Wal« gleicht einem poetischen, majestätischen Eintauchen in die Materie, das der radikalen Inspiration Melvilles nahe kommt. Sein Verständnis von Starbuck weicht von dem hier formulierten ab. Über Ahabs Hochmut schreibt er: »Der wahre Gegensatz zum Hochmut ist Mäßigung, und Mäßigung zählt in Melvilles Repertoire nicht gerade zu den Kardinaltugenden; Starbuck aber verkörpert sie, und Starbuck hält die Waage zwischen dem goldenen Mittelmaß und bloßer Mittelmäßigkeit.«

vorüber und es wieder ruhig an Deck sei. Vor der Tür sieht er die geladenen Musketen im Gestell. »Starbuck war ein redlicher, aufrechter Mann. Doch als er die Musketen erblickte, begann sich etwas Fremdes in seinem Herzen zu entfalten, ein böser Gedanke ...«

»Damals hätt er mich fast erschossen«, murmelte er, »ach, da steht ja die Muskete, womit er auf mich angelegt hat ...«

Soll man ruhig zusehen, wie dieser Wahnsinnige uns alle mit ins Verderben zieht? Dreißig Mann hat er auf dem Gewissen und noch mehr, wenn er das Schiff verliert. Und läßt man ihn gewähren, dann verliert er es auch, das ist todsicher. Könnt man ihn jetzt – aus dem Wege räumen, er würde nicht zum Verbrecher.

Ahab schläft, doch Starbuck kann sich die Tat nicht vorstellen und malt sich stattdessen aus, wie er den alten Mann in Ketten legt und als Gefangenen nach Hause bringt.

Wie? Dem Alten bei lebendigem Leibe das Kommando aus den Händen reißen? Kindische Hoffnung! Verschnürt mit Tampen und Trossen und hier in der Kammer an die Ringbolzen gefesselt, wär er gräßlicher als ein Tiger im Käfig. Das hielt ich nicht aus. Ich hätte ja nirgends Ruhe vor seinem Wutgeheul, mit meinem Frieden wär's aus, mit dem Schlaf, mit der Vernunft, der unschätzbaren, wär's auf immer vorbei, die ganze furchtbare Reise lang.

Mit genauer dramatischer Balance lässt Melville diesen packenden, an Hamlet gemahnenden Augenblick mit fallender Kadenz enden. Starbuck »stellte die Waffe an ihren Platz und ging«.

Ahab wird zwar von der Sucht nach dem Blut des weißen Wals beherrscht, ist aber dennoch ein gerissener Mann und weiß, wie leicht die Mannschaft aufzustacheln und ihre ungestüme Einwilligung zu seiner Suche zu erreichen ist. Doch Leidenschaften schwinden, »Seeleute aber sind launisch, wetterwendisch wie das Meer«. Mit diesem Gedanken beschließt er, eine spanische Golddublone auszusetzen. »Wer von euch einen Wal sieht, einen Wal mit weißem Kopf, mit zerfurchter Stirn und schiefem Maul, wer mir den Weißkopf zuerst sieht – drei Löcher hat er in der rechten Schwanzflosse – wer ihn sieht, den weißen Wal – seht her, Jungens, der soll die Dublone haben!« Aufgrund seiner »Vermutungen« glaubt Ahab oder beschließt vielmehr, dass das gewöhnliche Wesen des Menschen seine »Mittelmäßigkeit« sei, deshalb der Ansporn, der Lotteriegewinn in Gestalt der Dublone.

Über Starbuck stellt Ahab andere Vermutungen an:

Dem Alten war zum Beispiel durchaus bewußt, daß seine magnetische Gewalt über Starbuck nicht den ganzen Menschen ergriffen hatte, so wenig wie der Muskelkräftige den Verstand des körperlich Schwächeren übermannt, den sein Arm bezwingt... Starbucks Leib, Starbucks in

Schach gehaltener Wille gehörten Ahab, solange er seinen Magnet auf Starbucks Hirn wirken ließ. Das wußte er; nicht minder aber, daß seinem Ersten Steuermann von ganzer Seele grauste vor dem Ansinnen seines Kapitäns. Hätte Starbuck gekonnt, er hätte sich mit tausend Freuden davon losgesagt oder gar den Plan vereitelt.

Dass Starbucks schmerzliche Distanz zur notwendigen Präsenz des ungestümen und unversöhnlichen Ahab für die Erzählung unabdingbar ist, verweist auf Melvilles meisterliche Beherrschung seiner Erzählung, die natürlich Ahabs Geschichte ist, Ahabs und Moby-Dicks heldenhafter Zweikampf, eine heidnische Rebellion.

Ahab: Vor und nach ihm gibt es nichts in unserer Literatur, das den Vergleich mit ihm aushielte. Sein Charakter ist zugleich durch seine Obsession beschränkt und königlich in seiner Komplexität, vernarbt von einer Wunde oder einem Geburtsmal, einem untilgbaren Zeichen der Natur. Sein Ersatzbein aus einem Walfischknochen verkündet sein Nahen, wenn er über Deck humpelt, oder es steckt in einem Bohrloch im Holz, wenn er seine Befehle gibt, seine Monologe, seine Ansprachen in einer Sprache hält, die nicht praktisch und einfach, sondern gleichsam überdimensional ist, prachtvoll in ihren Adjektiven wie Substantiven, wenn er, kaum ist er allein, die Bilder der »eng zusammengerollten Schlange an seiner Brust« heraufbeschwört und darüber sinniert.

Ahab ist ein launischer Kapitän, aber kein bösartiger, bürokratischer Tyrann, kein Peitschenschwinger oder Trunkenbold. Ahabs Tyrannei ist die eines Bandenchefs, der kraft seiner eigenen Begeisterung überzeugt und keine Konsequenzen fürchtet, auch wenn er manchmal fürchterlich wirkt und um sich schlägt wie in der Szene mit Stubbs, dem fröhlichen Zweiten Steuermann. »Kusch dich, Hund, ab in dein Loch!«, fährt Ahab ihn übellaunig an. Und wir lesen Stubbs Antwort: »Das bin ich nicht gewohnt, Sir; das kann ich nicht hinnehmen!« Worauf Ahab ohne weiteren Tadel nur mit »Schweig!« antwortet.

Trotz einer »gewissen geistigen Überlegenheit« lag dem Kapitän der *Pequod* »nichts ferner als schale Anmaßung, die sich in dieser Form äußert, und alles, was er an Ehrenbezeigungen verlangte, war stillschweigender, unverzüglicher Gehorsam. Keiner von den Matrosen brauchte seine Schuhe auszuziehen, wenn er das Achterdeck betrat, und wie sich später noch zeigen wird, verkehrte er zuzeiten in ganz ungebräuchlichem Ton mit den Leuten, *in terrorem* und auch freundschaftlich oder wie es sonst die Ereignisse mit sich brachten. Trotz alledem aber hielt Kapitän Ahab das Bordzeremoniell durchaus ein.«

Ismael aber, der den quecksilbrigen Herrn des Schicksals jener in diesem »eigentümlichen Zustand an Bord« Gefangenen beobachtet, kann den Wogen des Gefühls nicht entkommen, die dieser verhängnisvolle Mensch in ihm weckt:

Doch da steht mir Ahab wieder vor der Seele, mein Kapitän, unwirsch und spröde wie ein Nantucketer nur sein kann, und ich darf nach dieser Abschweifung ins Reich der Kaiser und Könige nicht verhehlen, daß ich es nur mit einem armen alten Waljäger zu tun habe und mir daher Schabracken, Pfauenfedern und allen Prunk versagen muß. Ach, Ahab, was groß an dir wirken soll, das muß ich schon aus dem tiefsten Meere herauf und vom Himmel herunterholen, ich muß es bilden aus körperloser Luft.

Bevor Moby-Dick tatsächlich gesichtet wird und die dreitägige Jagd damit endet, dass der Wal triumphierend die *Pequod* rammt und Starbuck den Tod fur sich vorhersieht, fur Ahab, fur alle bis auf Ismael, da zeigt sich ein azurner, stahlblauer Streif von Mitleid, Trauer und Erinnerung, zeigt sich aber so spät, dass im Hymnus jenes Augenblicks vor dem eigentlichen Abgesang ein schwermütiger, eigensinniger Ton anklingt.

Ahab trat aus dem Niedergang und ging langsam über Deck, beugte sich über die Reling und sah seinem Schatten zu, wie er immer tiefer im Meer versank vor dem forschenden Blick, der ihm immer tiefer hinab zu folgen suchte. Der Helligkeit, die den Alten umfloß, gelang es schließlich doch zu verjagen, was ihm an der Seele fraß. Der Himmel liebkoste ihn, die fröhliche Luft streichelte ihn, und die Welt, ein Leben lang lieblos und kalt, umschlang mit zärtlichen Armen seinen starren Nacken, weinend vor Freude über den trotzig Verirrten, den segnend zu schützen das Herz ihr noch nicht verbot. Unter dem breiten Hutrand fiel eine Träne ins Wasser, ein winziger Tropfen, der kostbarste im ganzen Meer.

Und Ahab: Die letzten vierzig Jahre machen sich bemerkbar; vierzig Jahre, von denen er nur drei an Land verbrachte. Die vorgeschriebene Einsamkeit eines Kapitäns: »Diese Sklaverei, immer befehlen zu müssen«.

Fern, weltenfern war ich von dem jungen Ding, das ich, als ich fünfzig war, zu meiner Frau gemacht habe, und den Tag darauf ging's in See, nach Kap Hoorn, kaum daß ich auf unserm Kissen eine Spur hinterließ. Meine Frau? Meine Witwe! Und ich noch am Leben! Ich hab das Mädchen zur Witwe gemacht, Starbuck, als ich es heiratete, und dann ging es wie toll, wie rasend hinter dem Wal her. Tausendmal bin ich mit heißem Blut hinter ihm hergejagt, nicht mehr Mensch, sondern Teufel! Vierzig Jahre lang ein Narr, was ist der alte Ahab für ein alter Narr gewesen!

Er bittet Starbuck, an Bord zu bleiben, wenn »Ahab, der Gezeichnete, ins Boot geht, um Moby-Dick zu töten«. Starbuck muss an seine eigenen Kinder denken und fleht Ahab an, er möge umkehren. Doch vergebens: Das unerforschliche Ding befiehlt und »wider alle Liebe und Sehnsucht in meiner Brust treib ich ohne Unterlaß mich selber vorwärts, dränge, stoße ...«

Der Einzigartigkeit Ahabs, seiner steinernen Substanz mit ihren kunstvollen, gotischen Verzierungen, haftet ein Hauch des Antiken an, als wäre er König in einer alten Tragödie. Und in der geschlossenen Welt der Seefahrt des neunzehnten

Jahrhunderts war Ahab tatsächlich ein König, der vierzig Jahre in der Einsamkeit lebte, »unnahbar in meinem Rang, vor dem alles Herzliche verstummt«. Er ist der König eines gefährdeten Reiches, der *Pequod* mit ihrem Gefolge, Herr über ihre Dienerschaft, das Trinkwasser für ein ganzes Jahr, die Lebensmittelvorräte und Schöpfeimer, einen Schmied mitsamt der Esse und einen Zimmermann, um Ahabs zersplittertes Walknochenbein zu richten. Dieses Walknochenbein, Symbol einer nicht geduldeten Unzulänglichkeit, eine als zutiefst entwürdigend empfundene Gegebenheit, stammt von einem mächtigen, gefangenen Wal und ist, in seiner besonderen Tücke, alles andere als verlässlich. »Wo's weich sein sollte, da ist's hart, wo's hart sein sollte, ist's weich«, schimpft der verkrüppelte Ahab in seiner Wut.

Der weiße Wal hat sich das Bein geschnappt, als wäre es eine Trophäe, hat aber im Übergriff seiner Macht auch die Männlichkeit des alten Kapitäns mit sich genommen.

Kurz ehe die *Pequod* aus Nantucket ausgelaufen war, hatte er eines Abends bewußtlos am Boden gelegen. Das Stelzbein war ihm in die Weiche gefahren und hatte sie fast durchbohrt. Die überaus schmerzhafte Wunde hatte dann eine ganze Weile nicht heilen wollen.

Ismael, dieser junge Mann aus Manhattan, ist das moralische Zentrum des Buches, eines Werkes von quälender Subversivität, das die blinde Zerstörungswut der menschlichen Natur und der Natur als solcher wenn nicht gerade bejaht, so doch zumindest entschuldigt. Bevor er in See stach, war Ismael voller Missmut und blieb »vor den Fenstern der Sargtischler« stehen, dachte also an Selbstmord. Zur See zu fahren frischt seine Lust am Leben auf und lässt ihn erwartungsvoll den kommenden Erfahrungen entgegensehen.

Das »Ich« des Icherzählers Ismael zeigt sich und verschwindet wieder und hat durchaus keinen eindeutigen »Standpunkt«, der letztlich Melvilles Phantasie und seinen entschiedenen Sprachfluss in den einsamen Selbstgesprächen und Tiraden Ahabs und in solchen Szenen wie der mit Starbuck und der Muskete zu sehr hemmen würde. Das Nachdenken über Leben und Tod, die ungeheuerliche Weite des Meeres, die Unmenge an Details, die Gewalt der plötzlich ausbrechenden Tatkraft der Menschen und das trotzige Aufbäumen des Beschützerinstinktes in Moby-Dick – all das ist Melville selbst, der Erzähler, der sich in den Berkshires zu zwölfstündiger Schaffensfron an den Tisch setzt.

Ismael, kultiviert, ein weißer Amerikaner, ein gewöhnlicher Matrose, kein Offizier, kein blinder Passagier und auch kein *isolato*, denkt vernünftig und vernünftelt manchmal; er bleibt auch nicht gegen Ahabs schauerlichen Traum von einer Art Gerechtigkeit immun, der zufolge sein Verlust ihn zum Opfer machte und den weißen Wal zum Übeltäter, ein Tier, das nun gefangen und zur Strafe des Todes verurteilt werden muss. Doch dann taucht in »Die große Armada«, einem Kapitel von überwältigender, imaginativer Kraft, eine Walherde auf, die »ruhend«

daliegt und »eine wundersame Furchtlosigkeit und
Zutraulichkeit oder auch eine in der Verzauberung
erstarrte Panik« zeigt, »über die man einfach staunen
mußte«. Sie werden zu Geschöpfen, die im Meer zu
Hause sind, dicht sich aneinander drängend, Mut-
tertiere, die gebären:

> Und als wir über Bord schauten, tat sich tief un-
> ten eine andere Welt auf, viel wundersamer noch
> als alles über Tag. Vor unsern Augen trieben,
> schwebten durch die Wasserräume die säugen-
> den Kühe und neben ihnen andere, deren kolos-
> salen Leibern anzusehen war, daß sie bald Mutter
> werden sollten. Bis tief hinunter war die See klar
> und durchsichtig. Uns war, als schauten die jun-
> gen Wale, ohne uns zu sehen, von den Zitzen der
> Mutter zu uns herauf, wie das kleine Menschen-
> kind wegzuschauen pflegt von der mütterlichen
> Brust, still und unverwandt, als führte es, wenn es
> irdische Nahrung zu sich nimmt, zugleich ein an-
> deres Leben und träumte seine überirdischen Er-
> innerungen. Auch die Mütter äugten ruhig zu
> uns herauf, während sie auf der Seite liegend da-
> hinzogen, mit einem Blick, für den wir wohl
> nichts weiter waren als ein Stück treibenden
> Tangs... Die zarten Seitenfinnen und die zier-
> lichen Schwanzflossen der Jungen waren frisch
> gefältet und geknittert wie das Ohr eines neuge-
> borenen Säuglings.

Das Meer, seine furchtbare, doch verlockende Un-
endlichkeit und die tröstliche Wohltat eines klaren
Tages und leiser Wellen – manchmal glaubt man

beim Lesen von *Moby-Dick*, diese Gegensätze des Ozeans hätten Melville beinahe in den Wahnsinn getrieben. Alles muss in seinem Buch untergebracht werden: »Der Ozean überflutet den Erdball«. Er hält fest, dass das Meer dem Menschen nicht freundlich gesinnt sei: Es wird »immer und ewig mordend über ihn herfallen und auch die stärkste, stolzeste Fregatte zermalmen«. Selbst »ihren eigenen Kindern« gegenüber ist die See nicht freundlich. Doch im selben Kapitel heißt es kurz darauf: »Bedenke die teuflische Pracht und Schönheit seiner blutgierigsten Geschöpfe, die anmutige edle Gestalt vieler Haiarten.«

An einem klaren, blauen Tag glaubt einer der Harpuniere, er habe den weißen Wal gesehen. Doch nein, es war nicht der Wal, was er gesehen hatte, war der weiße Krake, »das wundersamste Geheimnis, das die Meerestiefe bisher dem Menschen offenbart hat«.

Eine riesige weiche Masse von schneefarbenem Glanz. Von ihrer Mitte gingen zahllose Arme aus, die wie ein Schlangenknäuel sich wanden und entrollten, um blindlings alles zu packen, was das Unglück hatte, ihnen in den Griff zu kommen. Etwas wie ein Gesicht, eine Vorder- und Rückseite, war nicht zu erkennen, auch nichts, was auf Sinne und Empfindung hindeutete. Das Weiße ließ sich von den Wellen schaukeln, unirdisch, ungestalt, eine formlose Erscheinung des Lebens.

Die Vieldeutigkeit, die Unbeständigkeit, die Unvereinbarkeit mit der natürlichen Welt sowie der Wunsch, einen mikroskopisch genauen Bericht über diese Kreatur zu geben, der im Drama der Geschichte der gleiche Rang wie Ahab zukommt: Der Pottwal also.

Die Ansicht seiner Stirn ist »erhaben«.

Die göttliche Würde und Hoheit, die der Stirn innewohnt, finden wir nun beim Pottwal ins Ungeheure gesteigert, und wer den Anblick auf sich wirken läßt, spürt die Gottheit und die Mächte der Finsternis gewaltiger als irgendwo sonst in der beseelten Natur ... Wie alle andern menschlichen Wissenschaften ist auch die Physiognomik nur ein vergängliches Märchen. Wenn also Sir William Jones, der doch dreißig Sprachen las, einem schlichten Bauerngesicht seinen feineren, tieferen Sinn nicht ablesen konnte, wie sollte der ungelehrte Ismael das hehre Chaldäisch begreifen, das auf der Stirn des Pottwals eingegraben steht? Ich kann die Stirn dem Leser nur vor Augen führen; er lese darin, wenn er kann.

Erhabenheit, überirdische Göttlichkeit, der seltene weiße Wal, der milchige Schaum, die Anhäufung monströsen Aberglaubens auf diesem Koloss, Unsterblichkeit, Allgegenwärtigkeit, »zu ein und demselben Zeitpunkt sei er in ganz entgegengesetzten Breitengraden angetroffen worden ...« Für Ahab, dem Moby-Dick das Bein »abgemäht hat wie einen Grashalm«, verkörperte der weiße Wal »all die Quälereien des Leibes und der Seele, die er zu erdulden hatte«. Dieser irre Ahab hatte, so glaubt Ismael, dem Buckel des weißen Wals die

117

Summe aller Wut und allen Hasses aufgehäuft, die seine gesamte Gattung seit Adams Tagen empfunden hatte.

Bei der Erkundung des Rätsels Ahab formt Melville dessen Verletzungen auf zunehmend komplexere Weise zu einer fixen Idee, lässt sie kaum merklich, ja verstohlen in Ahab heranwachsen. Als er nach dem Unfall in der Hängematte liegt, unterwegs zum Heimathafen, beginnt er derart zu toben, dass ihn die Steuermänner in eine Zwangsjacke stecken; schließlich scheint das Delirium allen äußerlichen Anzeichen zufolge abzuflauen, Besserung ist offenbar eingetreten. Doch handelt es sich nur um den Rest eines Anscheins von Normalität, um das Wissen darum, dass die Welt ihm rät, die unergründliche Gewalt in seinem Innern zu vertuschen. Schließlich wurde ihm ein neues Kommando anvertraut, man schickte ihn mit der *Pequod* hinaus.

Die weiße Farbe des Wals: »Der Wal war weiß; das ängstigte mich vor allem«, sagt Ismael in jenem unvergleichlichen Kapitel, das Melvilles Lektüre alles abverlangte, aber auch jener kreativen Kraft, mit der er eine Art banger Grundlage für das schuf, was er mit dieser merkwürdigen Fabel darbietet. Die Weiße ist so flüchtig und paradox, dass man Melvilles Kampf zu spüren meint, kein Ringen mit der Unfähigkeit, sondern um die ästhetische Definition, um Bewältigung. Zum weißen Wal schrieb D. H. Lawrence: »Natürlich ist er ein Symbol. Doch wovon? Ich glaube nicht, daß Melville selbst es genau gewußt hat. Und das ist das Beste daran.«

Liebliches Weiß in der Natur: Marmor, Kamelienblüten und Perlen; Königshäupter auf ihren weißen Elefanten oder Zeltern; die Unschuld der Bräute; der weiße Hermelin der Richter; sakrale Gewänder.

Doch man denke an den weißen Polarbären, den weißen Hai der tropischen Gewässer, an den weißen Albatros. »Daß die schrankenlose Blutgier des Tieres sich ins Vlies himmlischer Unschuld und Liebe kleidet, macht sie so schrecklich. Die marmorne Blässe der Toten, Gespenster, die sich im milchweißen Nebel zeigen.« Und wie so typisch für ihn, umfasst er weit ausholend auch »jedes unverbildete Gemüt … (das) viele, viele Pilger in schneeweißen Kapuzen gesenkten Hauptes und feierlichen Schritts an sich vorüberziehen (sieht), eine endlose Prozession, öde und stumm, sobald von dem ›Weißen Sonntag‹ (Pfingsten) die Rede ist«. Den Protestanten Mittelamerikas lassen ein weißer Mönch, eine weiße Nonne gleich eine solche »augenlose Statue vor der Seele« erscheinen. Die White Mountains von New Hampshire mit ihren herrlichen Gipfeln überwältigen die Seele in gewissen Stimmungen mit ihrer »ungeheuerlichen Totenblässe«. Der antarktische Seefahrer, frierend und von Gefahren umgeben, hält das Meer um sich herum für einen »unermeßlichen Friedhof voll ragender Eismale und zersplitterter Kreuze«.

Immer und immer weiter fährt Melville fort und kennt doch die Haltlosigkeit seiner Suche nach dem Weiß, dieser »stumm beredten Leere«, dieser »farblosen Allfarbe einer Welt ohne Gott, vor der wir zurückbeben«, »blutlos liegt das Weltall vor uns, aussätzig ... Und für all dies Unaussprechliche war der Weiße Wal das Zeichen. Wen wundert nun noch Ahabs besessene Gier, ihn zu töten.«

Der weiße Wal, fraglich in seiner Unschuld wie eine jungfräuliche Braut, zwiespältig in seiner Blutgier wie der weiße Hai der tropischen Meere, ist ein fiktives Geschöpf beispielloser Phantasie. Wie Melville darum ringt, dieser Vision mit seinen Worten Leben einzuhauchen, ist derart faszinierend, dass der Leser mit bebenden ästhetischen Sinnen an diesem Unterfangen teilnimmt, als drohte er selbst von der herrlichen Schwierigkeit des Begreifens und Erfassens überwältigt zu werden.

Und so ist es auch mit der gespaltenen Psyche Ahabs, dem jämmerlichen, alten, verhexten Dämon mit versengten Brauen. »Ich weiß alles, über alles bin ich erhaben, und freuen kann ich mich nicht mehr.« Ahabs Sprache, dieser großartige, außergewöhnliche Wortrausch in wildem Kampf mit der Zeichnung seiner verletzten Gefühle. Die Sprache selbst ist Anzeichen für die Anarchie auf der *Pequod*, auf der Ahab sowohl das rebellische Opfer eines verbliebenen Tyrannen wie auch der Scharfrichter mit gezückter Klinge ist, ein herrischer Robespierre.

Bin ich denn Ahab? Bin ich's, o Gott, der diesen Arm hebt, oder wer ist's? Selbst du, große Sonne, läufst nur als Magd der Himmlischen deine Bahn und nicht aus freiem Willen. Nicht ein einziger Stern vermag sich zu drehen, wenn ihn die unsichtbare Kraft nicht treibt. Und dieses winzige

Herz sollte schlagen, dies winzige Hirn einen Gedanken denken aus sich selbst? Nein, Gott führt den Schlag, Gott denkt den Gedanken, Gott lebt mein Leben, nicht ich ... Wer sollte ihn denn verdammen, wenn der Richter selbst vor die Schranken muß?

Rhythmus, kompositorisches Gleichmaß und gehobener Ton bewirken, dass man *Moby-Dick* oft für eine Prosadichtung hält, auch wenn Ahab im alltäglichen Treiben der Mannschaft bloß ein lauthals schreiender Walfänger ist: »Ausschwingen! Fier weg die Boote! Auseinander! Los, alle vier Boote! Mehr nach Lee!« – und so weiter. Keine Frage, Melville schrieb einen Roman, der keinen unmittelbaren Vorläufer hat. Die lehrreichen Kapitel wie »Ceteologie« kommen in manchmal spöttisch bibliographischer Manier daher: Folio, Oktav, Duodez, dazu ein amüsanter Melvillescher Ton in den Beschreibungen: »Das Weiß aber reicht noch bis über das Maul hinweg auf den Kopf hinauf, und er sieht aus, als käme er, ein ertappter Dieb, frisch von einem Einbruch in den Mehlsack«: gemeint ist der mehlmaulige Tümmler. Nur wenige Leser wissen mehr über Wale, als sie von einem Blick auf den von einer Museumswand hängenden Walleib aus Pappmaché erfahren haben, weshalb das eingestreute Wissen keineswegs überflüssig ist, sondern ebenso seinen Platz im Roman hat wie etwa die Familiengeschichte, Großeltern und sonstige Vorfahren, die wichtigsten Figuren im konventionellen Roman. In dieser sich phantasiereich entfaltenden Geschichte ist der

Wal eine Hauptfigur, gleichsam eine menschliche Gestalt.

Kurze Kapitel, rasche Wendungen im Geschehen, die nicht als Füllsel oder Überschuss eingeschoben werden, sondern im weiteren Verlauf erneut auftauchen, gesetzt von sicherer Hand. Quiqueg wird krank, sehr krank; er glaubt sich dem Tode so nah, dass ihm die Art der Bestattung, sein feuchtes Begräbnis, vor Augen steht. Und der arme Quiqueg erinnert sich, in Nantucket gesehen zu haben, wie die Toten in kleine Kanus gelegt wurden, in denen sie zu den Sternen trieben. Auf der *Pequod* warf man die Toten in ihren Hängematten den »todverschlingenden Haien« vor, ganz wie es damals Brauch war. Das nötige Holz wird aufgetrieben, der Zimmermann nimmt Quiquegs genaue Maße, und sein letzter Wunsch wird ausgeführt. Doch kaum scheint die Bestattung gesichert, erholt sich Quiqueg plötzlich wieder. Hinfort nutzt er »in seinem Übermut« den Sarg als Kleiderkiste und verbringt seine freien Stunden damit, groteske Figuren und Linien ähnlich den Tätowierungen auf seinem Körper in den Deckel zu schnitzen. Die Frage nach der Bedeutung dieses Zeitvertreibs wird am Ende des Buches ihre magische Antwort finden. Beim Ausschwingen der Boote zur Jagd geht das Rettungsboot verloren, und als das Schiff mit Mann und Maus untergegangen ist, rettet sich Ismael, der einzige Überlebende, indem er die Kleiderkiste als Rettungsboot nutzt und sich in ihr dem sicheren Land entgegentreiben lässt, getragen vom toten Quiqueg, wenn man so will.

Auf manchen Walfangschiffen, die sich in den Fanggründen begegneten, bestand der Brauch, dass sich die Offiziere bei solchen Gelegenheiten gegenseitig aufsuchten, doch Kapitän Ahab, gefangen in seinem inneren Dialog, hatte für derlei Höflichkeiten nichts übrig, falls ihm keine Neuigkeiten von Moby-Dick überbracht wurden. Man trifft auf die *Jerobeam*, ein Walfangschiff aus Nantucket unter Kapitän Mayhew. Der Kapitän will nicht an Bord der *Pequod* kommen, weil er fürchtet, die auf seinem Schiff ausgebrochene Seuche zu übertragen, doch Ahab fürchtet keine Seuche, da die *Jerobeam* Moby-Dick gesichtet hat. Die wahre Seuche an Bord des unseligen Schiffes aber ist ein irrer Matrose, der sich für den Erzengel Gabriel hält und auf seinem Schiff für die gleiche Schwindel erregende Unruhe sorgt wie Ahab auf der *Pequod*. Unter Berufung auf seine angebliche Göttlichkeit und mit Hilfe einiger magischer Schalen, von denen eine Opium enthält, hat Gabriel die Mannschaft auf seine Seite gebracht und lässt sie mit Meuterei drohen, sollte Kapitän Mayhew versuchen, den Irren im nächsten Hafen abzusetzen.

Als Moby-Dick ausgemacht wurde, brannte Macey, der Erste Steuermann, darauf, ihn anzugreifen, obwohl ihm Gabriel prophezeit hat, dass dies sein Ende bedeuten würde. Der Steuermann legte die Lanze an, doch der Wal triumphierte, und »der Steuermann tauchte nicht wieder auf«. Angesichts von Ahabs Entschlossenheit zur Jagd auf den weißen Wal predigt ihm Gabriel sein Schicksal: »Denk an den Gotteslästerer – tot, da unten –, hüte dich vor dem Ende des Frevlers.«

Eine Begegnung mit der *Jungfrau*, einem deutschen Schiff und seltsam untüchtigen Gefährt, das Wale jagt, sich aber das Öl für die Schiffslampen borgen muss. Der Kapitän der *Jungfrau* kennt den Unterschied zwischen Pottwal und Finnwal nicht, diesem »unglaublich behenden Schwimmer, der jeder Verfolgung spottet«.

Die *Rosenknospe*: ein französischer Walfänger und daher auf der Suche nach Ambra für die duftverliebte Nation. Bei ihrer Ankunft aber ist die *Rosenknospe* von fauligem Gestank eingehüllt, da sie einen Wal längsseits hat, der eines natürlichen Todes gestorben ist und die Luft eines Gefährts verpestet, das nach dem lieblichen Ambra sucht.

Die *Samuel Enderby* aus London: Bei dieser Begegnung verebbt der amerikanische Stolz, der die deutschen und französischen Walfänger in bühnenreifer, komischer Unwissenheit ihres Berufes vorgeführt hat, als die Antwort auf Kapitän Ahabs Standardfrage: »Hast den weißen Wal gesehen?« eine etwas interessantere Replik zeitigt. Der Kapitän hat den Wal tatsächlich gesehen und einen Arm an ihn verloren. Er rät, dem Tier aus dem Weg zu gehen, doch Ahab in seinem Wahn schreit nur: »Wann hast du ihn zuletzt gesehen, mit Kurs wohin?«

Die *Junggesell*: ein Schiff aus Nantucket auf glücklicher Heimfahrt; so viel Walöl in den Laderäumen, dass kaum noch Platz für irgendwas anderes an Bord ist. »Weißen Wal gesehen?« Die Antwort: »Nein, bloß davon gehört, glaub aber nicht dran.« Ahab befiehlt: »Setzt alle Segel!« Und während seine Mannschaft dem fröhlich feiernden, entschwindenden Schiff ernste, sehnsüchtige Blicke nachschickt, denkt Ahab über die *Junggesell*: »Voll Schiff und auf der Heimreise, sagst du? Schön, meins ist auf der Ausreise und noch leer. Geh deiner Wege, ich gehe meinen.«

Ein müdes Pathos in Ahabs unbeirrtem Festhalten an seinem Schicksal erschwert Melville die Gestaltung dieses Helden einer Tragödie, die ebenso wenig ein Vorbild hat wie die Welle des Meeres. Ahab kennt kein Zuhause; Nantucket, die junge Frau mit Kind auf dem Witwensteig, die aufs Meer hinausschaut und auf seine Rückkehr wartet, kann in ihm keine spürbare Sehnsucht wecken, keine kamingemütliche Menschlichkeit. Ein sterbendes Schiff auf dem Meer ist seine Wohnstatt, sein Heim, für das Starbucks kummervolles Heimweh nach Frau und Tochter bloß eine Bedrohung darstellt.

Die *Rahel*: Dieses Zwischenspiel, das Ahab mit tiefstem menschlichen Elend konfrontiert, mit familiärem Leid, dem Kummer eines Vaters und seiner Liebe zum Sohn, lässt ihn ungerührt. Obwohl er selbst ein Kind hat, ist er kein Vater, fehlt ihm jegliches existentielle Verständnis für dieses heilige Band. »Hast den weißen Wal gesehen?« Wieder ertönt dieser Anruf, ein musikalisches Thema. Die Antwort: »Ja, gestern. Ein Walboot treiben sehen?« Der Kapitän des seltsamen Schiffes war ein Bekannter aus Nantucket. Trotzdem hat Kapitän Ahab keinen Gruß für ihn übrig, hat für nichts und niemanden Platz in seinem Herzen, nur für den Wal. Der Wal, ist er tot? Nein, nicht tot.

Die Geschichte der *Rahel* wird erzählt: Wie Moby-Dick gesichtet wurde, die Boote die Jagd begannen, der Wal entkam, drei Boote schließlich zurückkehrten, eines aber die ganze Nacht fortblieb. Der Kapitän war an Bord der *Pequod* gekommen, weil er um Hilfe bei der Suche nach dem fehlenden Boot bitten wollte, denn wie sich schließlich herausstellt, befindet sich der zwölfjährige Sohn des Kapitäns an Bord des fehlenden Bootes. »Mein Junge ist dabei, mein eigener Junge.« Er fleht den frostigen Ahab an, ruft ihm in Erinnerung, dass er selbst auch einen Jungen habe, »Ihr Kind, alter Mann«.

Ahab befiehlt, den Kurs beizubehalten. »Schon jetzt vergeude ich hier meine Zeit. Leben Sie wohl, Gott helfe Ihnen, Mann, ich muss weiter. Wollt, ich könnt mir's verzeihen.«

Und schließlich beginnt die dreitägige Jagd auf Moby-Dick. Er ist da, »die derb gerunzelte, leicht über den Wasserspiegel gehobene Stirn und ihren milchig glänzenden Widerschein … im quellenden Kielwasser schossen die blauen Wellen wieder zusammen. Zu beiden Seiten stiegen leuchtende Blasen auf, schäumten tanzend neben dem Wal her.« Die Jagd, ihr Ende vorherbestimmt, die Augenblicke gleißenden Horrors, als jeder Mann, die ganze Besatzung, einer nach dem anderen den ureigenen Tod stirbt, Stubbs, der an »eine einzige rote Kirsche« denkt und hofft, dass seine Mutter die Heuer abgeholt hat; Starbuck, das letzte, begreifende Drängen eines einsichtigen Opfers, beinahe, als flehe es den Mörder an: Einen Mörder, der seinem Opfer das Messer an die Kehle hält.

»Ahab, laßt ab, auch heut, auch am dritten Tag ist's noch nicht zu spät. Seht, Moby-Dick will euch nicht. Ihr seid es, Ihr allein, der ihm wie besessen nachstellt.« Und Ahab, an diesem letzten Tag, zu Tode gewürgt, als die Leine sich um seinen Hals spannt, dann der schreckliche Schrei: »Das Schiff! Großer Gott, wo ist das Schiff?« »Doch jetzt wurde auch das einsame Boot mit seiner ganzen Besatzung und jeder treibende Riemen und jeder Lanzenschaft in den strudelnden Kreis hineingezogen und Beseeltes und Unbeseeltes miteinander umgewirbelt, bis von der *Pequod* kein Span mehr zu sehen war«. Das weite Leichentuch des Meeres aber wallte fort wie seit fünftausend Jahren.

Ein Schluss von hinreißender Schönheit, Ismaels Wort. In den wogenden Wellen findet er irgendwie Quiquegs Sarg, der neben ihm trieb und den er jetzt als Rettungsboje nutzt:

Den Rest jenes Tages und die ganze Nacht hat der Sarg mich über Wasser gehalten auf einer linden See, die wie eine Totenklage mich umrann. Haie glitten vorüber, als hätten sie ein Schloß vor dem Maul, und taten mir nichts, die gierigen Raubmöwen strichen mit versiegelten Schnäbeln über mich hin. Am zweiten Tag sah ich ein Segel näherkommen; endlich nahm man mich auf. Es war die *Rahel*, die auf der Suche nach ihren Kindern vom Wege abgekommen war. Nun hatte sie statt ihrer verschollenen Kinder einen Verwaisten gefunden.

Das war's, das letzte Wort, die Widmung, eine edle, dramatische Tragödie, vielleicht gar für die Bühne. Moby-Dick ist ein Held, der die Handlung nicht kennt, ein riesiges Geschöpf, blind, unschuldig, ohne Wissen um seinen Namen, seine Rolle, die einstige Missetat, und auf dem Schlachtfeld womöglich sogar ein verwirrter weißer Wal, der nur die Harpunen kennt, die wahllos aus den feindseligen, todesgierigen Booten geschleudert werden. Gegen alle Vernunft macht Melville auf seine Art Moby-Dick zur Figur des Romans, zu Ahabs Konkurrenten um Stolz, Macht und gar Ehre. Das Geschlecht der Moby-Dicks und das Geschlecht der Ahabs, eine uralte Fehde. Die Männer an Bord gleichsam Seekisten voller geheimer Habseligkeiten: Pip, ein vom Meer geschädigter Junge, um den sich Ahab hin und wieder kümmert; der Asiate Fedellah, ein dämonischer Aufdringling, ein Kamerad, der Ahab um des schwarzen Ruhmes willen zur Vernichtung drängt.

Und Ahab selbst, ein müder Matrose, zu lang schon allein und fort von zu Hause, geprägt vom seltsamen Walfanggeschäft, das sich bald überlebt hat und dessen Härten man vergessen wird. Am Ende rechtfertigt Ahab die Unterweisungen, die Geschichte des ganzen Unterfangens, die Belehrungen in Ceteologie, die doch an sich interessant genug sind, um einen Seemann aus Neuengland in einen Besessenen zu verwandeln, der keine Erinnerung ans Land mehr kennt.

Moby-Dick wurde in der englischen und amerikanischen Presse wohlwollend besprochen, man vermerkte den »Humor«, die Eleganz der Beschreibungen, die Originalität der Konzeption; manche bekrittelten, doch war das zu erwarten gewesen, die »Respektlosigkeit«, die Formlosigkeit. Besonders

betrüblich dürfte für den Autor allerdings eine Bemerkung seines Freundes Duyckinck in der wichtigen *Literary World* gewesen sein, der in diesem Do-
kument seiner Unaufmerksamkeit beiläufiges Lob
mit einer wortstarken Verurteilung der Schwächen
verband, der übertriebenen Manierismen, »des frei-
beuterischen Herunterbetens von Ansichten und
Meinungen, der eingebildeten Gleichgültigkeit eines
Emerson, des außer Rand und Band geratenen Stils
eines Carlyle«.

Familie, *Pierre,*
Benito Cereno, Bartleby

Als das Buch nahezu ein Jahrhundert später die
Aufmerksamkeit der besten Kritiker der amerikanischen Literatur fesselte, streiften die Sprache, die
Interpretation, die Exegese wie Mondstrahlen am
hellen Himmel darüber hin: Faustisch, promethe-
isch, archetypisch, shakespearisch, biblisch, home-
risch.

Stanwix, Melvilles zweiter Sohn, wurde wenige
Wochen nach der Veröffentlichung von *Moby-Dick*
geboren. Er ist ein Rätsel und kein Sohn, an dem
Melville viel Freude hat, Erbe einer Familie großer
Namen, wenn auch nicht großer weltlicher Güter.
Stanwix, zwei Jahre jünger als Malcolm, hielt sich
Jahre später im Haus auf, als man Malcolm fand,
tot, eine Kugel im Kopf. Stanwix ging von zu Hause
fort, zog hierhin und dorthin, ein Wanderer, ein
Herumtreiber. Ungefähr zum Zeitpunkt von Mal-
colms Tod wurde er taub, eine seltsam plötzlich ein-
setzende Behinderung, ein Nachteil in der Welt der
Arbeit. Schließlich landete er in Kalifornien, weit
fort, krank, Tuberkulose, an der er mit fünfunddreißig sterben sollte. Die Biographin Robertson-
Lorant schreibt, ein Freund sei bei ihm gewesen, als
er starb, eine Bemerkung, die nichts sagend bliebe,

131

sollte sie nicht eine homosexuelle Freundschaft andeuten.

Die Gewohnheiten des jungen Malcolm waren Anlass für die üblichen Sorgen gewesen. In der Nacht vor seinem Tod kam er gegen drei Uhr früh nach Hause. Seine Mutter hatte auf ihn gewartet. Er ging zu Bett, verschloss die Tür und stand am nächsten Morgen nicht auf, meldete sich aber, als man an die Tür klopfte. Später gab er keine Antwort mehr, doch unternahm man nichts, bis Melville spätabends heimkehrte, die Tür aufbrach und seinen Sohn tot vorfand, gestorben an der eigenhändig beigebrachten Wunde. Lizzie Melville beharrte darauf, dass er in der Nacht zuvor keinerlei Anzeichen von Trunkenheit habe erkennen lassen, ja beide Eltern behaupteten, dass er nie zum Trunk geneigt habe, dass er für einen jungen Mann seines Alters stets ungewöhnlich nüchtern gewesen sei. Sie betrauerten den verlorenen Mustersohn. Er starb 1867, als sein Vater die Laufbahn als Romanautor aufgegeben hatte, um Gedichte zu schreiben und täglich seinem Dienst als Zollinspektor nachzugehen.

Die Melvilles hatten zwei Töchter. Bessie, die jüngere, litt unter starken rheumatischen Gliederschmerzen und blieb daheim, heiratete nicht und ließ sich von ihrer Mutter umsorgen. Frances, das letzte Kind, beschritt einen herkömmlicheren und gewiss auch angenehmeren Lebensweg. Sie heiratete jung, eine gute Partie, und bekam Töchter; später folgten Enkel, die sich sorgsam um Melvilles Papiere und seine Hinterlassenschaft kümmern sollten. Aus dem Kabinensteward wurde ein

Familienvater oder doch zumindest ein Mann mit Familie, einer, der sich stets zu Hause aufhielt, aber wohl kaum der Herr des Hauses war, schrieb er doch in wahrer Fronarbeit und mit beängstigender Hast wie unter der Fuchtel eines tyrannischen Aufsehers.

»Der Dollar ist mein Fluch«, sagte er. Kümmerliche Vorauszahlungen von Verlegern, erbärmliche Verkaufszahlen, nutzlose Besprechungen – hoffte er während jener bestürzenden Entwicklung von *Moby-Dick*, veröffentlicht am 18. Oktober 1851, zu *Pierre*, veröffentlicht am 6. August 1852, noch immer auf den Dollarsegen? Ein Federfuchser auf Bestellung: Hat's nicht gefallen, versucht's mit dem hier? *Pierre*, der Bodensatz, vielleicht eine Satire auf die bei den Damen jener Tage so beliebten Romane, doch als Stichelei schlecht gestrickt, ein Abfallprodukt, zu lang, schwerfällige Handlung, bombastisch überladen und völlig wirklichkeitsfremd. Das stürmische *Wuthering Heights* war 1847 veröffentlicht worden, fünf Jahre vor *Pierre*, und man wünscht sich, dass Melville, wenn er denn schon seine Dämonen austreiben musste, zuvor wenigstens Emily Brontë gelesen hätte – hat er aber nicht.

Viele Kritiker finden in *Pierre* allerhand von Interesse: die Abrechnung mit der aufreibenden Mutter, die Zerschlagung des einst so verehrten väterlichen Idols, den lauernden Schrecken einer bürgerlichen Ehe, rätselhafte Andeutungen über eine uneheliche Schwester, die Ermordung des Bruders der vermeintlichen Braut – und am Ende stapeln sich all diese Leichen auf der Bühne. Pierre: »Ach, Leichen, wohin ich auch blicke.«

Melville-Spezialisten, insbesondere jene der akademischen Zunft, nehmen oft eine besitzergreifende und beschützende Haltung gegenüber jenen Autoren ein, deren sie sich angenommen haben. Thematische Strukturen, stets so trügerisch im schemenhaften Melville, mögen das vernichtende Urteil mildern, doch die rätselhaften Narreteien in *Pierre* wurden von den zeitgenössischen Kritikern als persönliche Beleidigung verstanden, der sie ihrerseits in mörderischen Adjektiven Ausdruck gaben. »Lüstern dämonischer Zug«, »Schund in Konzeption, Ausführung, Dialog und Geisteshaltung«, »verquast, verkommen und korrupt«, »verrückter Herman Melville«, »völlig bekloppt geworden«.

Zu Beginn des Buches lebt Pierre mit seiner Mutter Mary Glendinning auf dem Land. Er ist merkwürdigerweise ein Gansevoort, heißt es doch von seinem Großvater, er habe gegen das »mörderische Halbblut Brandt« die Festung gehalten. Es wird nicht weiter darauf eingegangen, und vielleicht ist diese Anmerkung nur als ein Witz zum Amüsement der Familie gemeint. Als ein Glendinning ist Pierre jedenfalls ein wahrer Aristokrat amerikanischen Adels, der so viel besser als jener englische ist, in den allein »George III. aberhundert Familien aufgenommen hatte«. Pierre ist noch keine zwanzig, seine Mutter mit fünfzig eine noch immer schöne Frau, verwitwet, kokett und dominant. Sohn und Mutter reden sich wie Bruder und Schwester an:

»Red keinen Unsinn, Bruder Pierre, du willst Lucy heute morgen doch nicht tatsächlich auf die lange Fahrt in die Berge mitnehmen? Sie ist ein liebenswertes Mädchen, ein überaus liebenswertes Mädchen.«

»Ja, Schwester Mary, der Ansicht bin ich auch – Himmel, Mutter, in allen fünf Winkeln der Erde findet sich keine wie sie!«

Lucy und Pierre sind verlobt, sie stammt aus einer »überaus begüterten« Familie, wie es heißt, und hat zudem den weiteren dynastischen Vorzug, Tochter des besten Freundes von Pierres Vater zu sein; beide Väter sind passenderweise verstorben. Es hagelt Elemente des Schauerromans, in alle Richtungen spritzen Körnchen der Konfusion, des Geheimnisvollen, der Beschuldigungen und aus Gräbern entstiegenen Komplikationen, die den Lebenden zu schaffen machen. Betörende Gesichter verstören den tändelnden, den Sommer genießenden Pierre. Eines, das Gesicht eines jungen Mädchens, das er nähend im einfachen Haus von Dorffrauen gesehen hat, beunruhigt Pierre, obwohl er nicht weiß, warum; daheim verwirren ihn die beiden Porträts seines Vaters, jenes, das ihn in Uniform zeigt, und ein kleines mit dem irgendwie verloren wirkenden Gesicht, das seiner Mutter nicht gefällt. Bald wird er einen Brief von dem nähenden Mädchen erhalten, unterschrieben mit: »Deine Schwester Isabel«.

Der Roman mit seinen prächtigen New-York-Szenen wird zu seiner vorherbestimmten Katastrophe voranschreiten, auch zu der Katastrophe, die er für Melville bedeutete. Eine überdrehte Burleske; Seiten, die sich endlos hinziehen; unwahrscheinliches Schwadronieren, Liebesszenen,

die einer trägen, im Fenster lungernden Schau-
fensterpuppe folgende Worte in den Mund legen:

> Du bist aus jenem feinen, ungeteilten Stoff ge-
> macht, aus dem Gott seine Seraphim erschuf.
> Doch deine göttliche Hingabe an mich wird
> durch die meine an dich aufgewogen. (…) Höre,
> hör auf mich. – Ich suche nicht im voraus dein
> Einverständnis zu erlangen mit etwas, das noch
> ungetan ist, nein, Isabel, aus der Tiefe der bereits
> vollbrachten Tat rufe ich nun zu dir, daß du sie
> billigst, rückwirkend, durch deine Zustimmung.

Die interessanteste Frage in Bezug auf *Pierre* lautet: Warum wurde das Buch geschrieben? Wel-
ches Schicksal hat Melville ihm gewünscht? Die
überwältigende Trübsinnigkeit des ganzen Unterfangens geht vom Autor aus, diesem ehrenwerten,
begabten, irrsinnig getriebenen, auf immer an seinen Schreibtisch gefesselten Mann. Schadenfroh
fielen die literarischen Meuchelmörder über ihn
her.

Rasende Enttäuschung, Selbstzweifel, dem kaum
zu entfliehen ist, wenn die Beleidigungen der Presse
darauf abzielen; Erschöpfung und ein stets ablen-
kender und wortlos vorwurfsvoller Haushalt – so
zumindest musste er dem geplagten, untypischen
Vater vorkommen –, die lang vertraute Geldnot, die
immer wieder an die Tür klopfte, als müsste sie
einen bloß geistesabwesenden Schuldner daran erinnern, sich der übersehenen Rechnung anzunehmen:
In dieser Zeit verfügt Melville noch immer über

eine in ihrer Beharrlichkeit beinahe unheimliche, kreative Energie.

Zwischen der Veröffentlichung von *Pierre* und der von *Israel Potter*, einem weiteren Roman, entspricht er der Bitte, einige kürzere Texte, die dann allerdings gar nicht so kurz ausfallen, für *Putnam's* zu schreiben, eine Zeitschrift, die ihre Autoren gut bezahlte und wohl deshalb schließlich Bankrott machte. 1853 schrieb er *Bartleby*, 1854 *Die verzauberten Inseln oder Encantadas* und 1855 *Benito Cereno*, drei Erzählungen, die dann 1856 unter dem Titel *Piazza Tales* zusammengefasst wurden. Die Familie, erfährt man, sorgte sich um seinen Zustand. Es ist gewiss nicht einfach, mit einem derart angespannten, attackierten, müden, erschöpften und widerborstigen Menschen zusammenzuleben, doch immer noch besser, selbst einen solchen Zustand zu durchleben, als ihn bloß erdulden zu müssen. Der alte Mann der Literatur zählte damals sechsunddreißig Jahre.

Die *Encantadas*, die Galapagosinseln vor Ecuador im Pazifik: Hier macht die beschreibende Sprache ihr Recht mit unbändiger Macht geltend. Die vulkanische Insel sieht aus, »als wäre das Strafgericht einer Feuersbrunst darüber hinweggegangen«, »wie geborstene syrische Kürbisse, die zum Trocknen in der Sonne liegen«; von den Riesenschildkröten heißt es, es läge »etwas Seltsames, an Verdammnis Erinnerndes in der Erscheinung dieser Kreaturen. Dauerndes Leiden und büßende Hoffnungslosigkeit kommen in keiner tierischen Erscheinung so vollkommen zum Ausdruck wie in der ihrigen.« Dort gibt es »gestürzte Stämme verdorrter Fichten«, starke »Banditen von Vögeln mit langen Schnäbeln, die grausamen Dolchen gleichen«.

Benito Cereno, die Bearbeitung einer 1817 von Kapitän Amasa Delano aus Duxbury in Massachusetts veröffentlichten Erzählung, ist eine dramatische, spannende Geschichte von den widerstreitenden Kräften der menschlichen Natur und der Geschichte. Kapitän Delano ist der etwas einfältige, resolut lebensnahe Held der Erzählung. Er ist fröhlich, freundlich und vor allem ein durch und durch amerikanischer Kerl, den das Unvollständige und Fremde, ein gequälter, wie gelähmt wirkender spanischer Kapitän und einige geheimnisvolle Schwarze aus Afrika eine Zeit lang aus dem Konzept bringen. Als er vor der Küste Chiles ankert, sieht er ein erbärmliches, heruntergekommenes Gefährt, das neben anderer Ladung noch »Negersklaven« zum Verkauf »von einem Kolonialhafen in den anderen führte«. An Deck des erbärmlich verkommenen Schiffes Schwarze und Weiße in unglückseligem Durcheinander, unter ihnen Don Benito, der Kapitän, ein junger Spanier, der »traurig und verzagt auf seine erregte Mannschaft« blickt. Der gute Delano bringt aus seinen wohl gefüllten Vorratskammern Proviant und Wasser mit und geht an Bord des Not leidenden Schiffes, um es selbst in Augenschein zu nehmen; das eigene Schiff liegt in einer Flaute fest, weshalb er sowieso auf die Rückkehr des Windes warten muss. Während dieser Zeit entfaltet sich das Drama.

Es gibt da einen jungen Schwarzen, der als Don Benitos Leibdiener zu fungieren scheint und ihn behutsam stützt, als er ohnmächtig zu werden droht. In einer ganz erstaunlichen Szene verpasst er ihm die tägliche Rasur, was Delano für eine völlig überflüssige Nettigkeit hält. Don Benito lässt es jedenfalls auffällig an ausgesprochener Dankbarkeit für die Anstrengungen fehlen, die Delano seinethalben unternommen hat; seine »Zurückhaltung« findet man ungehobelt, und sein nachlässiges Kommando an Bord beleidigt die Gepflogenheiten der christlichen Seefahrt. Gestalten tauchen wie Erscheinungen auf, vor allem ein riesiger Afrikaner mit eisernem Halsband. Doch ist es vor allem die elegante und einschmeichelnde Aufmerksamkeit des »Leibdieners« Babo, die Kapitän Delanos Phantasie weckt und seinen Beifall findet. Mit einem Lächeln und eher aus Spaß fragt er: »Ich hätte Ihren Mann hier gern für mich selbst – welchen Preis wollen Sie für ihn haben? Wären etwa fünfzig Dublonen angemessen?« Babo verbeugt sich und antwortet, dass er sich nicht für tausend Dublonen von seinem »Herrn« trennen würde.

In Rede und Widerrede bringt Benito in seiner »iberischen« Sprache hervor, dass er Babo sein Leben schulde, doch wehrt sein Diener bescheiden ab: Babo ist nichts, und was Babo getan hat, ist nur seine Pflicht – und so weiter. Kapitän Delano zeigt sich über diesen treuen Gefährten ganz entzückt. »Don Benito, um einen solchen Freund beneide ich Sie; denn einen Sklaven möchte ich ihn nicht nennen.« Er sinniert, was solch treues Gebaren dem Schwarzen eingebracht hat: »Den Ruf des angenehmsten Leibdieners in der Welt. Einen solchen Diener, der eher ein ergebener Gefährte ist, kann sein Herr ohne steife Herablassung, doch mit freundschaftlichem Vertrauen behandeln.«

Melville hat mit der kraftvollen und überzeugenden Figur des Kapitäns Delano einen vitalen, freundlichen Mann des späten achtzehnten Jahrhunderts geschaffen, der sich der schwarzen Rasse mit einer Art selbstzufriedener, herablassender Nächstenliebe nähert. »Allerdings verkehrte Kapitän Delano – wie die meisten Menschen von gutem und fröhlichem Herzen – mit Negern nicht als Philanthrop, sondern auf unverbindliche Art wie andere mit ihren Neufundländern.« Was er fühlt und äußert, ist folglich weniger eine Sünde als vielmehr ein Anzeichen seiner Unfähigkeit, beurteilen zu können, was augenscheinlich der Fall ist.

Wie sich herausstellt, ist das Schiff Schauplatz eines Sklavenaufstandes. Kapitän Benito ist eine Geisel, der man das Messer an die Kehle hält, und der unterwürfige Babo ist der Anführer der Rebellen, fest entschlossen, das Schiff nach Senegal zurückzubringen, also in die Freiheit. Delanos Männer mit ihren Gewehren und die verbleibenden spanischen Matrosen übernehmen das Schiff, töten einige Neger, obwohl »man indessen nicht bezweckte, sie zu töten oder zu Krüppeln zu schießen«; schließlich sind sie immer noch wertvolle Handelsware. Melville verlagert in seiner Erzählung dann die Aufmerksamkeit auf die noch vorhandenen Gerichtsurteile über den Aufstand und die in Lima gemachten Aussagen. Don Benito erholt sich jedoch nicht und siecht dahin:

»Sie sind gerettet!« rief Kapitän Delano fassungs-
los und gequält aus. »Sie sind gerettet! Was für ein
Schatten liegt noch über Ihnen?«

»Der Neger.«

Eine düstere Erzählung über ein Missverständnis,
freundlich zu Beginn, führt zu ausgleichender »Gerechtigkeit«, also für Babo wie auch für einige der
übrigen Verschwörer zum Tod, für die anderen
zu erneuter Versklavung. Melville hat sich eines
tatsächlichen Vorfalls angenommen und mit kühler,
distanzierter Imagination den untergründigen Ras-
sismus aufgedeckt. Babos außerordentliche Wen-
digkeit, so sadistisch sie auch ist, sein theatralisches
Gebaren, die »abgefeimten Gedanken« seiner zü-
gellosen Intelligenz und Vorstellungskraft, haben
durch diese Wiedergabe des Geschehenen das Bild
Afrikas jener Zeit verändert. Babo wird gehängt,
sein Leib – bis auf den Kopf – zu Asche verbrannt.
Die letzte Zeile, die letzten Worte: »Viele Tage lang
hielt sein Kopf, diese Brutstätte abgefeimter Gedanken, auf der Plaza auf eine Stange gespießt, un-
beschämt den Blicken der Weißen stand.«

Bartleby[6] ist ein Werk von strengem Minimalis-
mus, philosophischer Gelassenheit, radikaler literarischer Gestalt, äußerster Verzweiflung und zudem von vollendeter Erzählweise. »Eine Geschichte
von der Wall Street« lautet der Untertitel, der
Ort eine »behagliche« Anwaltskanzlei, die sich mit

---

[6] Eine Überarbeitung meines zuvor unter dem Titel »Bartleby
in Manhattan«, 1983, veröffentlichten Essays.

den »Wertpapieren, Hypotheken und Rechtsansprüchen reicher Leute« befasst. Der Erzähler, ein sanfter Mann des Gesetzes, bereits älter, kurz vor der Pensionierung, beginnt, über die Kopisten, also die Kanzleischreiber nachzudenken, die er in den dreißig Jahren seiner Berufspraxis kennen gelernt hat. Er ist ein zurückhaltender Herr, der seine kleinen Eitelkeiten kennt, zu denen auch zählt, dass er Geschäfte mit John Jacob Astor macht und gern seinen Namen erwähnt, denn »er hat einen runden, sphärenhaften Klang, wie Klirren von Goldbarren«. In seinem Umgang mit Bartleby ergriff ihn zum ersten Mal in seinem Leben »ein Gefühl überwältigender, herzverzehrender Schwermut«.

Anfallende Abschreibarbeiten brachten den Anwalt dazu, auf der Suche nach einem Angestellten eine Anzeige aufzusetzen, und diese führte Bartleby zu ihm, einen jungen Mann, gesetzt, »ausdruckslos sauber, erbarmungswürdig achtbar«. Von seinem Schreibtisch aus blickt Bartleby auf eine Ziegelwand, auf ein Fenster ohne Aussicht, ein angemessener Platz für jemanden, der keine »Ansichten« über die Welt dort draußen hegt. Er beginnt mit den Abschriften, als »hungere er seit langem nach Kopierarbeiten«, doch beobachtet der Anwalt, dass er es still tut, »bleich und mechanisch«. Am dritten Tag dann wird er gebeten, beim Korrekturlesen auszuhelfen, doch antwortet Bartleby auf diese Bitte mit dem lakonischen, unerbittlichen Kennwort, der rätselhaften Äußerung, die nicht gedeutet und nicht missverstanden werden kann, antwortet also: »*Ich möchte lieber nicht.*«

Die ungläubige Reaktion des Anwalts bewirkt, dass »*Ich möchte lieber nicht*« gleich noch zweimal wiederholt wird, jedoch gänzlich ohne »Unsicherheit, Empörung, Ungeduld oder Unverschämtheit«. Das Merkwürdige dieser Antwort, das Fehlen von jeglichem »weil« bewirkt, dass dieser negative Ton die Geschichte so plötzlich an sich reißt, als wäre hinterrücks auf der Straße ein Überfall passiert.

Bartleby möchte für seinen Arbeitgeber lieber nicht Korrektur lesen; ein wenig später möchte er die vier Kopien einer Urkunde lieber nicht mit den übrigen Schreibern prüfen, und er würde lieber nicht annehmen, dass dies gemeinsame Korrekturlesen Arbeit spart und dem allgemeinen Brauch entspricht. Auf eine Nachfrage nach seiner »eigensinnigen Grille« – keine Antwort.

Hinter Bartlebys Antworten verbirgt sich keine Koketterie, sie sind bloß ehrlich, endgültig, unabänderlich. Vor allem aber sind sie nicht »persönlich« gemeint, sind kein Einwand gegen die Mitarbeiter und auch nicht gegen die Tätigkeit des Korrekturlesens als solche. Der Anwalt müht sich durch die gesamte Erzählung hindurch, die Leere zu füllen, das »Persönliche« daran zu finden. Bartleby ist stets allein, lebt in äußerster Einsamkeit, die dem Anwalt das Herz zerreißt, als sich herausstellt, dass Bartleby kein Zuhause hat, sondern die Nächte im Büro verbringt. Eigentlich ist er überhaupt kein Bürger Manhattans, kein Konsument in der städtischen Warenwelt; er meidet die Straßen und ernährt sich bloß von Pfeffernüssen. Er hungert sich zu Tode.

Auf seine wortkarge Art ist Bartleby ein Meister der Sprache. Der Anwalt, der die Mauer zu ihm durchdringen will, beabsichtigt, den Stil des Kanzleischreibers zu ändern. Statt *möchte lieber* schlägt er *will* vor, doch die berichtigende Antwort lautet: *Ich möchte lieber nicht.* Welcher Unterschied besteht zwischen *möchte lieber nicht* und *will nicht?* Bartleby hat gewählt, und seine Sprache ist, was er selbst ist. Und dann, während er vor dem »Feuermauerfenster« steht, verkündet er eines Tages, dass er keine Akten mehr abschreiben will. Nie mehr. Dem Anwalt fällt auf, dass seine Augen gelitten haben, doch möchte Melville den weiteren Fortgang der Geschichte nicht in den Bereich der Kausalität abgleiten lassen. Und das geschieht auch nicht. Bartleby wird gebeten, doch ein bisschen vernünftig zu sein, und die Antwort lautet: »Im Augenblick möchte ich lieber nicht ein bißchen vernünftig sein« – eine »geisterhaft milde« Antwort.

Der erstaunte Anwalt denkt daran, Bartleby zu entlassen, ist dazu aber nicht in der Lage, selbst nicht nach seinem »Kein Kopieren mehr«. Er denkt: »Wie die Dinge aber lagen, hätte ich genausogut meine gipserne Cicerobüste aus dem Hause weisen können.« Als jemand, der »bloß der Gesellschaft zuliebe zur Trinity Church geht«, fragt er sich, ob es ihm wohl irgendwie vorherbestimmt sei, mit Bartleby auskommen zu müssen, entscheidet sich aber dagegen, und schließlich wird ihm klar, dass Bartleby gehen muss, wenn auch mit einer großzügigen Abfindung, einer Bleibe und allen guten Wünschen versehen. Am nächsten Morgen kehrt der Anwalt in seine Kanzlei zurück, aber Bartleby ist immer noch dort, das Geld unangetastet.

»Wollen Sie mich nicht verlassen?«

»Ich möchte Sie lieber *nicht* verlassen.«

Vor lauter Verzweiflung zieht der Anwalt mit seiner Kanzlei um. Neue Mieter treffen in den alten Räumen ein und sehen Bartleby auf dem Treppengeländer sitzen. Sie werfen ihn hinaus, versuchen es zumindest, aber er bleibt »auf dem Treppengeländer sitzen«. Bartlebys sparsamer Wortschatz reizt den armen Anwalt zu extremen Vergleichen, »die letzte Säule eines verfallenen Tempels« sieht er in ihm, »ein Wrack mitten auf dem Atlantik«. Er beginnt, sich neue Beschäftigungen für ihn zu überlegen, etwa als Kommis in einem Kurzwarengeschäft, doch Bartleby lehnt ab, fügt jedoch hinzu, dass er keineswegs »wählerisch« sei. Als Schankkellner, Rechnungseintreiber für Kaufleute, Reisebegleiter für einen jungen Herrn auf dessen Reise nach Europa – absurde Vorstellungen, wie der Anwalt selbst weiß.

Nein, Bartleby will nicht, ist aber keineswegs »wählerisch«. Mit diesem Wort scheint Bartleby den Anwalt vor öden Missverständnissen bewahren zu wollen. Bartleby selbst legt Wert auf seine Unverwechselbarkeit, doch ist er keineswegs in einem anspruchsvollen, verwöhnten Sinne wählerisch. Schließlich wird er verhaftet und ins Gefängnis geworfen.

Es kommt zu einem Gefängnisbesuch, und in seiner therapeutischen Hoffnung sagt der freundliche Anwalt dem Kanzleischreiber, dass er nicht verzweifeln möge; angeklagt zu sein sei keine Schande, und selbst im Gefängnis sehe man manchmal den Himmel und etwas Grün. Bartleby erwidert: »Ich weiß, wo ich bin.« Er weigert sich zu essen – »Ich bin an Mahlzeiten nicht gewöhnt« –, und so stirbt er. Nicht ganz das Ende, das sich der Anwalt mit seinem Mitgefühl, seinem drängenden Verlangen, etwas von dem verschütteten Wesen, der persönlichen Geschichte freizulegen, gewünscht hatte. Doch es folgt als Coda Melvilles herrlicher Schluss, die Grablegung Bartlebys, mit der auch die taktvolle Neugier und die unstillbare Mildtätigkeit des Wall-Street-Anwalts zu Grabe getragen wird. Ein Gerücht:

Der Bericht lautete: »Bartleby habe einen untergeordneten Schreiberposten im Amt für unzustellbare Briefe in Washington innegehabt und sei dort infolge eines Wechsels in der Verwaltung plötzlich entlassen worden ... Unzustellbare Briefe! Haben sie nicht etwas von Gestorbenen? Man stelle sich einen Menschen vor, den schon Natur und Schicksalsungunst für eine fahle Hoffnungslosigkeit vorbestimmen – kann es für einen solchen Menschen einen geeigneteren Beruf geben als den beständigen Umgang mit unzustellbaren Briefen, den Briefen, die er für den Flammentod sortieren muß? ... Briefe, um des Lebens willen abgesandt, eilen sie dem Tod entgegen. Ja, Bartleby! Ja, Menschentum!«

Rückzug, unzustellbare Briefe; zum Glück für diese antarktische Expedition haben die Spaten der Gelehrten keine Quellen zutage gefördert. Die »brüderliche Melancholie« lag bereit. Mit *Moby-Dick* und *Billy Budd* gehört *Bartleby* auch anderthalb Jahrhunderte später noch zu Melvilles beliebtesten Werken.

Ehe und
Maskeraden

Nach dem Reinfall mit *Pierre* im Jahr 1852 und nach der Geburt eines dritten Kindes, der Tochter Bessie, trank der reizbare Inhaber nutzloser Urheberrechte und störrische, ungefällige Gefährte der Tochter eines über die Maßen gefälligen Richters Shaw, so lesen wir es in den Biographien, wann immer ihm der Sinn danach stand. Elizabeth Shaw hatte einen Mann von ziemlich einzigartigem Format geheiratet, der einer fast ebenso einzigartigen Tätigkeit nachging.

Als der Historiker Froude eine Biographie über Thomas Carlyle schrieb, kam er zu dem Schluss, dass Carlyle besser nicht geheiratet hätte, eine doch recht verwirrende Einsicht über eine der berühmtesten und interessantesten Verbindungen der viktorianischen Zeit. Lizzie Melville wirkt eher wie eine Landpomeranze, vergleicht man sie mit der kinderlosen Jane Carlyle, die, umgeben von Freunden wie dem italienischen Revolutionär Mazzini, eifrig ihre geistreichen und hochnäsigen Briefe über ihre tumben Dienstmädchen und die Wanzen im Bett schrieb. Melvilles Frau dagegen stöhnt unter der unvermeidlichen, niemals endenden Last der Hausarbeit, zu der nicht zuletzt der wie ein Gespenst lebende Herman beiträgt, dessen Bücher das Haus verlassen, um wie die unverkauften Erzeugnisse seines Vaters als Lagerware zurückzukehren. Seine grässliche, »himmlische« Arbeit und ihre irdene Fron machten sie beide zu seltsamen, hochwohlgeborenen Tagelöhnern, die irgendwie im Zuckerrohrfeld gelandet waren. Gelegentlich heißt es von ihr, sie sei »völlig erschöpft« und dem Zusammenbruch nahe, muss sie doch außer anderen Widrigkeiten auch noch eine Wartezeit von fünfzehn Jahren erdulden, ehe Maria Gansevoort-Melville, ihre Schwiegermutter und Oberaufseherin, stirbt. Aber sie geben nicht auf, selbst dann nicht, als Lizzie zehn Jahre später Anwälte und ihren Pfarrer über eine mögliche Scheidung konsultiert.

Unterdessen, in der Zwischenzeit – oder wie man es immer nennen will – sind zwei weitere Romane entstanden, *Israel Potter* und *Maskeraden*, und Frances, eine weitere Tochter, wurde geboren. Das Kind als Ergebnis seiner Zeugungskraft lässt sich leichter erklären als jene unermüdlich produktive Maschine, die entgegen allen Marktbedingungen einfach immer weiter rattert. *Israel Potter* ist ein gefälliges, ein lesbares Buch, das gleichwohl nur noch selten gelesen wird. Die Amerikanische Revolution, sakrales Ereignis in der Stammtafel der Gansevoorts und Melvilles, liefert den Hintergrund für die »jugendlichen Abenteuer« des überzeugten Patrioten Israel Potter, von dessen Leben ein Pamphlet Zeugnis ablegt, auf das sich Melville bezog. Der junge Israel, dem es vom Vater untersagt wurde, die Geliebte zu heiraten, zieht wie Peter Rabbit mit einem Bündel am Stecken in die Welt hinaus, verdingt sich als Bauer, verschafft sich ein Gewehr und wird Jäger, spart Geld, um eine Farm zu kaufen, verkauft mit Gewinn, zieht nach Kanada, um mit Häuten und Fellen zu handeln, segelt auf Walfängern und wird gleichsam durch sein Geschick als Harpunier und Jäger auf die Schlacht um Bunker Hill vorbereitet. Als Washington Rekruten für die Bemannung von Schiffen sucht, die den Nachschub der Briten abschneiden sollen, meldet sich Israel freiwillig. Das Schiff wird gekapert und Israel nach England gebracht; er entflieht und wandert nach London und Paris.

Interessant an diesem Roman sind vor allem die »Porträts« von Benjamin Franklin, John Paul Jones und Ethan Allen, die allesamt ein wenig durch den Kakao gezogen werden. D. H. Lawrence schrieb über den »schnupftabakfarbenen« Franklin, dass er sich »eine Tugendliste aufgestellt habe, in deren Grenzen er sich bewegte wie eine graue Mähre auf der umzäunten Weide«. Nach »einem sonderbaren Abenteuer auf dem Pont Neuf« lernt Israel Potter Franklin kennen, der einen Schlafrock »wie die Robe eines Verschwörers« trägt und ihn mit hausgemachten Rezepten in Sachen Sparsamkeit überschüttet. Außerdem warnt er Israel noch vor einer hübschen Kammerjungfer, obwohl er doch selbst »beliebt und umworben bei den vornehmsten Schönheiten des Hofes« ist.

Bei seinem ersten Auftritt trägt John Paul Jones Zivil und sieht wie »ein enterbter Indianerhäuptling in europäischer Kleidung« aus. Es kommt zu allerhand Geplänkel zwischen dem Seehelden und Franklin, bevor Jones den »guten Yankee« Israel Potter für die große Seeschlacht zwischen der *Bon Homme Richard* und der britischen Fregatte *Serapis* an Bord nimmt. Melville beschreibt die Auseinandersetzung in allen patriotischen und seemännischen Einzelheiten, ehe wir den siegreichen John Paul mit seiner »leichtsinnigen Miene wieder verlassen. Er schwang seinen Stock mit dem goldenen Knopf, umarmte alle hübschen Kammerjungfern unterwegs und küsste sie schallend, als grüße er eine Fregatte mit Salut. Alle Barbaren sind Wüstlinge.«

Ethan Allen, dieser muskulöse, naive Bergbursche, der »Samson unter den Philistern«, ist ein weiterer merkwürdiger amerikanischer Patriot, den man ebenfalls gefangen genommen und nach England transportiert hat. Der Held von Ticonderoga ist ein solcher Aufschneider und so herkulisch in seiner Wut, dass er im Austausch gegen Gefangene zurück nach New York geschickt wird.

Israel Potter weilte fünfundvierzig Jahre im Exil und übertraf damit noch »großenteils die vierzig Jahre der verstoßenen Juden mit Moses in der wirklichen Wildnis«. Auch wenn Melville dieses Buch mehr oder weniger mit links geschrieben hat, so bleibt sein Kampf mit der Sprache doch auch jetzt noch so siegreich, dass einem diese Stärke wie ein Geburtsrecht gleich dem von Ethan Allen vorkommt, ein wildes Tier, »aber ein königliches Tier, das der Kerker nicht gebrochen hat«. London, das Melville die Unterwelt-Stadt Dis nennt:

Die Sonne war unsichtbar wie bei einer Finsternis, das Licht dunkel; alles sah so öde und trüb aus, als stoße ein naher Vulkan seinen warnenden

Qualm aus und werde die Stadt gleich verschüt-
ten wie Herkulaneum und Pompeji oder Sodom
und Gomorra. Und als seien alle Hausfronten
schreckensvoll zum Berg hinaufgekehrt, waren
sie mehr oder minder mit Ruß befleckt. Weder
Marmor noch der Körper noch die traurige Seele
des Menschen vermögen in dieser schlackigen
Stadt der Unterwelt weiß zu bleiben.

Nachlassende Gesundheit, Überarbeitung, die beinahe feste Gewissheit eines weiteren Fehlschlages:
Inmitten der quälenden Tortur des Alltags ist die
Kunst eine Sache für sich; diesen Eindruck erweckt
zumindest das Feuer, die Begeisterung, mit der
Melville in *Maskeraden* das Gewusel auf seinem
Schiff voller einheimischer Halunken, uns selbst
nämlich, beschreibt. Eine Betrachtung der Idiotien,
der Schikanen, der unverfrorenen Übertölpelung
der Menschheit führt zu komischen Szenen voller
maliziöser Absicht; die Moral wird deutlich. Auf
dem Mississippi-Dampfer *Fidèle*:

In- und Ausländer jeder Art, Geschäftsreisende
und Vergnügungsreisende, Salonlöwen und Hin-
terwäldler, Jäger, die auf der Jagd waren nach
Grund und Boden, und welche, die auf der Jagd
waren nach Ruhm, Jäger, die auf der Jagd waren
nach Erbinnen, und welche, die auf der Jagd waren nach Gold, Büffeljäger ... und Jäger, die Jagd
machten auf all jene anderen Jäger. Feine Damen
in Pantoffeln und Squaws in Mokassins, Speku-
lierer aus dem Norden und Philosophen aus dem
Osten, Engländer, Iren, Deutsche, Schotten, Dä-

nen, Kaufleute aus Santa Fé mit gestreiften Woll-
decken um die Schultern und Broadway-Stutzer
mit golddurchwirkten Krawatten um den Hals,
Schiffer aus Kentucky von adrettem Aussehen
und Baumwollpflanzer aus Mississippi von japa-
nischem Aussehen, Quäker, vollends Grau in
Grau, und Soldaten der Vereinigten Staaten vollends in Uniform, Schwarze, Mulatten, Quartero-
nen, neumodisch aufgeputzte junge spanische
Kreolinnen und altmodische französische Juden,
Mormonen und Papisten …

Ein blasser Taubstummer, der mit Bibelsprüchen
für die Nächstenliebe wirbt, ein verkrüppelter
schwarzer Bettler, ein Mann mit Trauerflor in
angeblicher Trübsal treten auf, um sich in einen
Agenten der Kohlegesellschaft Black Rapids zu verwandeln, der wertvolle Anteile zu günstigen Kon-
ditionen zu verkaufen hat, in den Erfinder des
Proteischen Lehnstuhls, des Omnibalsamischen
Krafterneuerungstonikums, den Bevollmächtigten
des »jüngst gegründeten Witwen- und Waisenasyls
für Seminolen« oder den Förderer eines Bauprojekts
mit Namen Neu-Jerusalem. Immer zahlreicher
werden die Tricks und Maskeraden, die die *Fidèle*
überziehen, ungeheuerlicher von Mal zu Mal, und
doch findet sich immer wieder ein Passagier und
Opfer voller Vorurteile und geheimer Wünsche, die
für die Schwindler nützlich sind. Die Begegnungen
zwischen Opfer und vermeintlichen Betrügern sind
kleine Dramen durchtriebener Entlarvungen.
  Die englischen Besprechungen fielen günstiger
als die amerikanischen aus, da die Engländer offen-

bar einen Text ganz genehm fanden, der jene »Geld-
gier« beschrieb, die »in den Staaten alle Schichten
wie eine fixe Idee erfasst zu haben scheint«. Die
amerikanische Presse gestand, dass es sich gewiss
um ein kluges Buch handele, doch bedauerte sie zumeist die metaphysische und diskursive Natur der
Komposition und auch, dass das Augenmerk vor-
wiegend auf dieser Schar doch recht verrufener Bürger des Landes läge.

Unter den geistreichsten Kritikern auf Melvilles
endloser bibliographischer Liste herrscht die Unzu-
friedenheit vor. Newton Arvin schrieb um 1950,
dass *Maskeraden* unter allen Romanen Melvilles
»der langweiligste, unglaubwürdigste« sei. Daniel
Hoffman kam in einem interessanten Aufsatz zu
dem Schluss, dass »die satirische Schärfe einzelner
Episoden und Charaktere – auf Kosten des Romans
in seiner Gänze gewonnen wurde«. F. O. Matthiessen: »Die Kluft zwischen dem, was sich laut Melville
auf dem Mississippi anfand, und dem von ihm her-
vorgerufenen Gefühl trostlosen Lebens dort lässt
vermuten, dass ihm diese Gesellschaft doch nicht
recht vertraut war.«

Wie wir heutzutage lesen können, wird mit jedem Jahr die vertraute Form der Kurzgeschichte,
des Romans oder der Lyrik aufs Neue zerstört.
Durch die Freiheit, mit der *Maskeraden* aufgrund
seiner ureigenen Bedingungen führt, wohin es will,
durch die es Themen einbringt, verändert oder in
anarchischer Ruhelosigkeit wieder aufgibt, wird das
Buch erst zu einem modernen Roman. Die unge-
zügelte Ausbreitung des Kapitalismus Mitte des
neunzehnten Jahrhunderts, die durchgehende Un-

fähigkeit der Familie Melville, irgendwie Profit zu erwirtschaften, der übertriebene Patriotismus des Landes verhelfen dem Romangeschehen zu einem prägnanten Pseudorealismus. Dem Werk liegt eine fest umrissene Idee zugrunde, die fruchtbar in der bildhaften Umsetzung des Leitgedankens ist, der spitzbübische Pessimismus aber ist eher ein Seufzer um selbstdienliche Glaubwürdigkeit als ein Stöhnen vereinsamender Entrüstung. Und wer würde schon ernsthaft wollen, dass Melville diese schwarze Komödie nicht geschrieben hätte, dieses Werk, mit dem er sich vom Buchmarkt zurückzog – von dem für ihn nicht existenten Markt?

Hawthorne

Der Dankesbrief, den Hawthorne Melville schrieb, nachdem er ein Exemplar von *Moby-Dick*, »gewidmet dem Genius«, erhalten hatte, ist in Melvilles Papierkorb oder in seinem Kamin gelandet. Ein Verlust, denn Hawthornes deutliche Zustimmung bewegte Melville zu der Annahme, dass eine Art heiliger Union zwischen ihnen beiden bestünde. Der Ton seines Antwortbriefes ist zwar ein wenig dick aufgetragen, aber doch recht anrührend: »Ich spüre, dass der Gott zerbrach wie das Brot beim Abendmahl, und dass wir beide die Bruchstücke sind. Daher dieses grenzenlos brüderliche Gefühl.« Vielleicht schreckte Hawthorne vor dieser Intensität zurück, die so gar nicht seiner Reserviertheit entsprach, vielleicht hatte er auch nicht vorgehabt, den Mantel des Genies mit diesem jüngeren Zeitgenossen zu teilen. Die amerikanische Literatur jedenfalls fand sich damit ab, dass die beiden Schriftsteller in den Olymp aufgenommen wurden, auch wenn dies für den treuen, obskuren Wundermacher Melville zu spät geschah. Hawthornes verließen die Berkshires, um nach Concord zu ziehen, was zu einer verständlichen Abschwächung der Beziehung führte. Für Melville aber blieb das Gefühl einer tiefen, wenn auch nicht ganz verständlichen Verletzung zurück, doch ist vieles an diesem Zusammentreffen recht gespenstisch.

Hawthorne wird, zumindest nimmt man dies an, in dem Prosagedicht *Clarel* beschrieben, das Melville zwanzig Jahre nach dem Besuch der Familie in England verfasst hat. Hawthorne selbst war bereits seit zwölf Jahren tot, doch war das Rätsel seiner Eigenart für Melville leider noch immer ungelöst, eine Wunde, die übers Grab hinaus schmerzte. In dem Gedicht, das im Heiligen Land spielt, gehört ein begabter, angesehener Amerikaner mit Namen Vine zu jenen Reisenden, die die alten biblischen Orte aufsuchen. Der junge Clarel, ein Theologiestudent, bemüht sich um die Aufmerksamkeit von Vine (Hawthorne). Er bekommt Vine erstmals in dem »Der Einsiedler« überschriebenen Canto zu Gesicht, einen Mann von scheuem Gebaren, merkwürdig auf die ihm eigene Art, jemand, dem es an »Salonfähigkeit« fehlt. Man merkt ihm keine Anzeichen »der Leidenschaft, Inbrunst oder des Mammons Makel« an, obwohl sein Leben bereits halb vorüber ist. Er ist von feiner Tugendhaftigkeit, gibt sich aber nicht als reiner Heiliger aus, da »unter dem Anschein verschwenderischer Willfährigkeit strenge Selbstkontrolle regiert«.

Und weiter ist in diesem unerschrockenen, wehmütigen Porträt von »gekränkter Sehnsucht« die Rede, doch lasse sich Glück weniger durch Moral als durch Zweifel erlangen. Der alte Vine schätzte die Schönheit der Welt, »auch wenn sie ihn kaum wärmte«. Dann wird Vine mit einer Nonne verglichen, deren »jungfräuliche Seele sich nur mit Män-

nern der üblen Sorte unterhielt«. Angst und Todes-
schatten haben ebenso Vines Herz erkalten lassen,
wie sie seine Kunst bereichert haben mögen.

In Gethsemane, dem Ort der Leidensgeschichte,
trifft ein dem Unbekannten längst verfallener Clarel
auf den in der Bibel lesenden Vine. Als er den in
seine Lektüre vertieften Mann in schmeichelhafter
Anrede bittet, doch laut vorzulesen, betrachtet ihn
dieser mit einem Blick, »abwesend und zerstreut,
beinahe leer«. Clarel, ein Plagegeist, der vom gleichgültigen Vine allzu große Nähe einfordert, ist nur
eine kümmerliche Metapher für den schmachten-
den Melville, doch stehen die folgenden Zeilen für
die verratenen Hoffnungen jener Tage und Abende
in Pittsfield.

> Ach, klarer, süßer Himmel meiner Seele
> (sinnierte Clarel), der ihn nicht aus den Augen ließ.
> Noch blieben alle Annäherungen unerwidert,
> Es kümmerte ihn nicht, doch sehnte er sich –
> Nach wahrem, nahem Austausch;
> Laß ab von allem anderen,
> Gib dir selbst mich hin!

Der scharlachrote Buchstabe erschien 1850; *Moby-
Dick* 1851. Hawthornes Meisterwerk machte ihn zu
einem der Großen der amerikanischen Literatur,
Melvilles Meisterwerk verglühte und verschwand
vorerst beinahe spurlos. Trotz aller Bewunderung
für Hawthornes Talent ist es bei dieser schmerzli-
chen Passion stets möglich, dass auf Seiten Melvilles ein wenig Gekränktsein mitspielte, doch lag die
Kränkung offenbar in einer persönlichen Ungleich-

gewichtung der Zuneigung. Was sich Clarel im Gedicht von Hawthorne wünscht, bleibt schwammig und psychologisch auffällig. »Gib dir selbst mich hin!« Sehnsucht, Bedauern und Kränkung hielten in dieser Einseitigkeit ein Leben lang vor, ähnlich einer in der Jugend vorzeitig beendeten Romanze, die die Träume des Abgewiesenen noch im Alter heimsucht – was im sentimentalen Roman weit häufiger als im wahren Leben vorkommt.

Am 11. Oktober 1856 stach Melville als Passagier auf einem nach Glasgow fahrenden Schiff in See. Er war derart unausgeglichen und labil gewesen, dass die Familie Richter Shaw überredete, für eine ausgedehnte Reise nach England, Griechenland, Italien und ins Heilige Land aufzukommen. Hawthorne war Konsul in Liverpool, und als Melville eintraf, wurde er zuvorkommend und mit aller Herzlichkeit empfangen; man lud ihn sogar ein, einige Tage mit der Familie in Southport, einem Badeort, zu verbringen. Hawthorne beschrieb den Besuch in seinem Tagebuch, und die entsprechenden Passagen verraten eine Anteilnahme und Sympathie für Melville, die ihm selbst vermutlich gar nicht bewusst gewesen sind. Der erste Eintrag beschreibt Melville, der wie ein Student auf Wanderschaft auftauchte, schäbig und gänzlich ohne die lächerlich großen Schrankkoffer, die respektable Amerikaner sonst auf ihrer Europareise mit sich zu führen pflegten. »Er kam in Southport nur mit dem allerkleinsten Bündel an, in dem er, wie er mir gestand, nur ein Nachthemd und eine Zahnbürste verwahrte. Er ist ein Mensch, der in jeglicher Hinsicht das Gebaren eines wahren Gentleman aufweist und sich nur in puncto sauberer Wäsche ein wenig unorthodox verhält.«

Es gibt noch eine unvergesslichere Bemerkung in Hawthornes Tagebuch, eine, die das Studium von Melvilles Schriften heimsuchen sollte wie ein in einem Gefängnis aufgeschnapptes Geständnis, das den Obrigkeiten zugeschmuggelt wurde:

… am dazwischenliegenden Tag unternahmen wir einen ziemlich langen Spaziergang und ruhten uns anschließend in einer Senke zwischen den Hügeln aus … und rauchten eine Zigarre. Wie er es auch sonst zu tun pflegte, begann Melville gleich über die Vorsehung und die Zukunft zu räsonieren und über all das, was sich der menschlichen Kenntnis entzieht, und er vertraute mir an, daß er »sich ziemlich sicher« sei, daß »Körper und Seele gemeinsam untergehen würden«, schien aber in dieser Gewißheit dennoch keine Ruhe zu finden und wird auch, wie ich glaube, keine Ruhe kennen, ehe er nicht zu festem Glauben findet. Es ist merkwürdig, wie sehr er darauf beharrte – und auch schon immer darauf beharrt hat, seit ich ihn kenne, vielleicht schon viel länger –, diese Wüsteneien zu durchwandern, die so monoton und trostlos wie die Sandhügel sind, zwischen denen wir saßen. Weder kann er glauben, noch kann er sich mit seinem Unglauben abfinden, und er ist zu ehrlich und zu mutig, um es mit dem einen oder dem anderen zu versuchen. Wäre er religiös, wäre er gewiß ein äußerst religiöser und ehrfürchtiger Mensch; er ist ein überaus feiner und edler Kopf, dem Unsterblichkeit weit eher zustünde als den meisten von uns.

Melville schrieb während der Monate im Ausland ebenfalls Tagebuch, und es findet sich viel Interessantes in seinen Aufzeichnungen, doch verraten im Lichte des freundlichen, prüfenden Blicks, mit dem Hawthorne seinen amerikanischen Landsmann bedacht hatte, Melvilles knappe Eintragungen nichts Außergewöhnliches über den Besuch:

> Hab Mr. Hawthorne im Konsulat getroffen. Lud mich ein, während meines Aufenthaltes in Liverpool bei ihm zu wohnen.
>
> Langer Spaziergang am Meer… Gutes Gespräch… Mrs. Hawthorne gesundheitlich nicht in bester Verfassung. Mr. H. blieb mit mir zu Hause.
>
> Mr. H und ich nahmen den Zug nach Liverpool. Verbrachte den Rest des Tages damit, Erkundigungen über Dampfschiffe… etc. einzuholen.

Hawthornes folgenschwere Notiz über den Spaziergang und Melvilles Überlegungen zur Religion scheinen auf einen ernüchternden Reifeprozess bei dem heidnischen Bilderstürmer hinzudeuten. Von Geburt gehörte Melville der Holländisch Reformierten Kirche der Familie Gansevoort an, sodass seine Kirche – wie dies gewöhnlich der Fall zu sein pflegte – die Kirche der Mutter war. Allan Melville, sein Vater, war jedoch Unitarist, zog also wie so viele Bostoner und auch die Shaws eine weniger strenge Lehre vor. Melville heiratete in einer Unitaristen-Kirche, da wohl die Ehefrauen bei Hochzeiten jenen Vorrang geltend machen, den die Mütter bei Taufen haben.

Man nimmt an, dass sich die calvinistischen Wurzeln der Holländisch Reformierten Kirche in Amerika, die im achtzehnten und neunzehnten Jahrhundert einen eigenständigen Wandel durchgemacht hatte, im Sohn der Maria Gansevoort bemerkbar gemacht haben. Doch soweit es die Familie Melville betraf, weiß keine Biographie zu berichten, dass sie beständig im Gebet verharrte und ein frommes und andachtsvolles Leben jener Art führte, wie Sir Edmund Gosse dies von seinen evangelischen Eltern beschrieb. Augusta, Melvilles Schwester, scheint eine rege Kirchgängerin gewesen zu sein, doch kann man Gleiches wohl kaum von seinen Brüdern Gansevoort und Allan behaupten. Eines ist jedenfalls sicher: Maria Melville hatte ihrem Herman nichts über die Erbsünde der Menschheit beizubringen.

Maria Melville scheint vor allem recht konventionell, ängstlich, stolz, hochnäsig und auf einen guten Eindruck bedacht gewesen zu sein. Sie war herrisch und gebieterisch, und es trieb sie wohl ebenso der Wunsch nach Achtung und Zugehörigkeit wie ihre religiöse Überzeugung in die Kirche. Die Familie Gansevoort in Albany war wohlhabend und angesehen, und Marias Generation hat sich keineswegs vom Calvinismus und der Furcht vor der ewigen Verdammung überwältigen lassen. Zwei von Melvilles Vettern auf Seiten der Gansevoorts waren Opfer des Lasters geworden: Alkohol und Syphilis. Und Maria wollte für ihre Familie den weltlichen Erfolg, der für manche Calvinisten zwar ein Zeichen des Auserwähltseins, doch auch für sich genommen ganz wünschenswert war. Eine Mutter aber ist eine Mutter und ein Geburtsmal untilgbar, nur gibt diese Mutter kaum Anlass zu der Annahme, sie habe ihren genialen Sohn religiös oder intellektuell entscheidend beeinflusst.

Die eigene rastlose Neugier hat Herman Melville die metaphysischen Spekulationen eingebrockt. Wenn er, um mit Hawthorne zu sprechen, die trostlosen Wüsteneien der Theologie durchzog, erhellten ihm Anthropologie und Bibelkritik die intellektuelle Landschaft. Hawthorne kannte die Mühen des Herzens im Kampf mit den realen Dimensionen eines gelebten Lebens, doch war er nicht so streitsüchtig wie Melville, vielleicht auch nicht so persönlich in seiner Konfrontation mit dem Abstrakten, etwa den Bedingungen eines solchen christlichen Glaubens. Sein Gedanke, dass es für Melville von Vorteil sein könnte, zum Glauben zurückzufinden, ist ein müßiger Wunsch, den Melvilles trotziger Charakter nicht leichthin zu verwirklichen gewusst hätte. Und so war er »sich ziemlich sicher«, dass »Körper und Seele gemeinsam untergehen würden« – eine Ablehnung der Wiederauferstehung und des ewigen Lebens?

In *Moby-Dick* geht Ismael/Melville in die Walfängerkapelle und sieht dort die Inschriften auf den Tafeln, jenen gewidmet, die einen ungeweihten Tod auf hoher See starben. Er fragt sich: »Wenn unsere Lieben hinüberschlummern in unaussprechlicher Seligkeit, wie wir doch alle glauben, warum wollen wir uns nicht trösten lassen?«, und fügt den ein wenig rätselhaften, doch schönen Satz hinzu: »Der Glaube aber findet wie ein Schakal noch in Gräbern, was ihn nährt, und gewinnt aus tödlichen Zweifeln die gewisse Zuversicht des Lebens.« Lyrik einer

zweifelnden Seele, die um die allumfassende End-
gültigkeit eines Todes auf See wusste.

Ein Mann vom Verstand eines Melville, der seine
Zweifel hatte, wenn er nicht gar Atheist war, litt gewiss stärker unter Gott als der halbherzige, dösende
Kirchgänger. Für Melville war Gottes Welt ein
Ort der Ungerechtigkeit, des Leids, des Krieges
und des Hungers. Doch so ist es nun mal: Viele können kaum ertragen, dass Gottes Hand nicht helfend
eingreift, und erträglich wird es für sie nur durch
den Aberglauben in den Weltreligionen, der Hoffnung oder Resignation bringt. Abfall vom Glauben
aber bedeutet eine philosophische und metaphysische Last, bedeutet Einsamkeit und die Verachtung
jener Millionen, die, wenn der Seelenzähler kommt,
darauf beharren, an Gott und – so sie denn dem
christlichen Glauben anhängen – durch den Lei-
denstod und die Wiederauferstehung von Jesus
Christus an das ewige Leben glauben. Schon der
heilige Paulus schrieb, dass der Glaube nichts ohne
die Wiederauferstehung sei. Wenn Melville die ak-
tuellen religiösen Themen beschäftigten, muss das
jedoch nicht heißen, dass ihn »quälte«, was er auf
den Knien seiner Mutter von der Holländisch Reformierten Kirche aufgenommen hatte. Als Intel-
lektueller, der außer Büchern keine Freunde kannte,
verabscheute Melville jeden Aberglauben und die
sich überall einmischenden Missionare. Da ihm
aber nichts anderes übrig bleibt, nimmt er sie hin,
»die Vernichtung von Körper und Seele«. Kritiker,
denen das einsame Studium der philosophischen
Fragen in der Mitte des neunzehnten Jahrhunderts
auffiel, berauben ihn zu leichtfertig des melancholi-

schen Atheismus, der moralischen Kompromisslosigkeit eines Mannes, dem die Verdammten des Lebens durchaus vertraut waren.

Zwanzig Jahre nach dem sechs Monate dauernden Aufenthalt im Ausland schrieb und veröffentlichte Melville ein Gedicht über das Heilige Land, das hier und da auch von Hawthorne handelt. *Clarel* – gut 18 000 Zeilen. Als Carlyle sich mit seiner Biographie über *Friedrich den Großen* abplagte, sagte seine Frau: »Wäre Friedrich doch bloß als Kleinkind gestorben.« Über *Clarel* ist man versucht zu sagen: Hätte der Wind das Schiff doch nur am palästinensischen Hafen Jaffa vorübergetrieben. *Clarel* ist so etwas wie ein Versroman mit vielen Charakteren, die zeitgenössische Positionen im theologischen Disput um Glaube und Zweifel verkörpern. Clarel, der titelgebende Held, ist ein junger amerikanischer Theologiestudent, ein wenig hölzern, aber ein Fels, gegen den die Meinungen windigerer Pilger anbranden.

Palästina war im Altertum ein mit Steinen übersätes Land, karg in seiner geologischen Struktur. Für Reisende, die ihre Verehrung für die heiligen Orte und deren selig machende Wirkung um 1850 hierher führte, bedeutete der raue Boden eine niederschmetternde Enttäuschung. Melvilles Tagebucheintragungen über Jerusalem und Umgebung lassen an einen Trauergesang über steinfarbenes Grau, über Staub und Dunkelheit denken. Das Heilige Grab: »Gleich daneben eine verborgene Treppe aus abgetretenem Marmor, die angeblich zur Schädelstätte führt ... das Loch, in dem das Kreuz eingelassen war ... wie das Loch in einen Kohlenkeller.«

Die ganze Stadt Jerusalem ist »grau und erinnert an das kalte graue Auge eines kalten alten Mannes«. »In der Leere dieser leblosen Antiquität namens Jerusalem gleichen die emigrierten Juden Fliegen, die in einem Schädel Quartier bezogen haben.«

Judäa: eine Sturzflut von Steinen, »steinerne Berge & steinige Ebenen; steinige Ströme & steinige Straßen, steinerne Mauern & steinige Felder, Steinhäuser & steinerne Gräber ...« Er besuchte eine Missionarsveranstaltung in Jerusalem (auf der man Geld für irgendeinen fernen Ort sammelte), »war aber nicht sonderlich erbaut«.

Melville und sein Hang, sich bestimmten Themen wie besessen zu widmen, kann im Falle Hawthorne dem Altar der Kunst dargebracht werden, »zwei Bruchstücke Gottes«, doch der Vollzug führte auseinander.

Besessenheit und der zwanghafte Trieb zum Geständnis; wieder und wieder drängten sich homoerotische Einschübe in seine Texte, getragen von unbekannter Absicht: unterschwellig, unbewusst oder unverschämt gewollt? Vielleicht war er so blind wie seine ersten Leser, unvertraut mit dem Benennen fremder Reize. Ungestört lagen die Liebesszenen am Strand seiner Fiktion neben all den übrigen Exemplaren der Muschelkunde. Spätere Leser dagegen hoben die glänzenden Schalen mit wahrer Sammlerleidenschaft auf und merkten dann, dass die Furchen und Riefen einst ein geplagtes Herz verborgen hatten.

Sophia Hawthorne hat *Moby-Dick* gelesen, wie wir durch Melvilles Antwort wissen, da die Hawthornes sämtliche Briefe aufbewahrten:

Es hat mich wahrhaft erstaunt, daß Ihnen das Buch gefallen hat. Gewiß, manche *Männer* sagten mir, daß es ihnen gefiele, doch Sie sind die einzige *Frau*… Ihre Anspielung etwa auf den »Geisterstrahl« zeigte mir zum ersten Mal, welch feinsinnige Bewandtnis es mit diesem Ding haben könnte – doch *gemeint* habe ich es keinesfalls, als ich dies niederschrieb.

Das »Geisterstrahl«-Kapitel, eingetaucht in silbriges Mondlicht, in silbriges Schweigen, ist eine Hymne auf den silbrigen Strahl eines Wals, der unter himmlischem Mond auftaucht, um Luft zu holen wie ein Gott, »der mit glitzernden Schwingen aus dem Meere emporstieg«. Wegen der offenkundigen Gefahren für die Jäger wird der Wal nachts nicht gejagt. Doch dieser mitternächtliche Strahl, den der finstere Fedallah vom Großtopp aus sichtet, liefert eine der vielen Pausen in Melvilles Erinnerung, die Passagen strahlender, liebkosender Schönheit hervorbringen. Der mitternächtliche Schaum mit seinem metallischen Glanz könnte tatsächlich von der lauernden Nähe des weißen Wals künden, der die *Pequod* mit ihren »Elfenbeinhauern« in den Untergang locken wird.

Hawthorne hat *Moby-Dick* gelesen. Sophia Hawthorne zitierte einen bestimmten Absatz, hatte als treue Ehefrau den schwierigen Roman also nicht nur flüchtig durchgeblättert; auch Elizabeth Melville und womöglich noch seine Schwester Augusta, die verlässliche Kopistin, kannten das Buch. Es wurde von Verlegern gelesen, von Rezensenten, der Öffentlichkeit, von vielen also, die auch der Freundschaft zwischen Redburn und dem seltsamen Epheben Harry Bolton gefolgt waren. Dort, wo heute ein eher aggressiver und misstrauischer Blick die Seiten mustert, stoßen wir in den vierziger und fünfziger Jahren des neunzehnten Jahrhunderts noch auf Unschuld oder auch Blindheit. Als Melville wie ein rätselhafter, lang verborgener Fund aus dem Wüstenboden gegraben wurde, sah man im Vielsagenden mancher Begegnung deutliche Hinweise auf »Homoerotik«; es fiel auf, dass die schwärmerischen, liebevollen Gefühle in deutlichem Gegensatz zu den zynischen Glossen über die Ehe standen. »Himmel, was ist die Ehe doch eine gottlose Angelegenheit!«

Ismael, jung, weiß, mit einem Namen, dem Spuren des Ungehörigen und einer unehelichen Geburt anhaften, stammt nichtsdestotrotz aus einer »alten, angesehenen Familie«; er war Lehrer, er war – oder ist – Herman Melville, der sich jetzt als gewöhnlicher Matrose aufmacht. Er trifft in New Bedford ein, um dort mehrere Tage auf die Weiterfahrt nach Nantucket zu warten, von wo aus die *Pequod* in See sticht. Da er kein freies Zimmer findet, verbringt er die Zeit im »Gasthaus zum Walfisch«, wo er ein geräumiges Bett mit dem dunkelhäutigen, tätowierten Harpunier Quiqueg teilen muss. Melville hätte das Schicksal, dass ihm einen solch ausgefallenen Bettgesellen bescherte, als pittoreskes Zwischenspiel abtun können, doch was er Sophia Peabody zu lesen gab, war ziemlich verblüffend, auch wenn es sie offenbar keineswegs verwundert hat.

Unter heiteren und gefühlvollen Beteuerungen werden dem Leser die Nächte im Gasthof »Zum

169

Walfisch« in einem wahren Wolkenbruch ehelicher Bilder dargeboten. Vor dem abendlichen Zubettgehen aber wird jede nur erdenkliche Barriere vor einer möglichen sexuellen Anziehung zwischen den beiden sorgsam aufgebaut. Quiqueg hat, so erfahren wir, vor seiner Rückkehr zum Gasthof die Straßen der Stadt durchwandert, um einen Schrumpfkopf zu verkaufen, Ausbeute seiner Reisen, obwohl der Gastwirt ihm gesagt hatte, dass der Markt dafür gesättigt sei. Als der Bettgefährte schließlich auftaucht, ist er von Kopf bis Fuß tätowiert, das Gesicht dunkel, purpurfarben, gelb, auf dem Kopf kein Haar, einen kleinen Knoten auf dem Skalp ausgenommen. Er raucht ein teuflisches Ding, das wie ein Tomahawk aussieht, und beginnt die abendliche Zeremonie mit einer Huldigung vor einer kleinen, heidnischen, schwarzen Kongo-Statue. Wie sich außerdem herausstellt, rasiert er sich mit seiner mörderisch scharfen Harpune.

Am Morgen wacht Ismael auf, und der Arm des Heiden liegt über ihm. Er versucht, sich aus der »bräutlichen Umklammerung« zu lösen, und wird doch nur weiterhin »fest umklammert«. Der nächste Tag ist ein Sonntag, und sie machen sich auf zur Kapelle und zu Pfarrer Mapples Predigt über Jona. Zurück im Gasthof zeigt sich Quiqueg still und reserviert, was Ismael betrübt an die zuvor bewiesene Zuneigung denken lässt. Mit einer gewissen Eifersucht und Enttäuschung betrachtet er die Miene des Primitiven und kommt zu dem Schluss, dass er ihn in seiner Würde und Gefasstheit an George Washington erinnert, »ins Kannibalische entwickelt«.

Ismael benimmt sich, als würde er Quiqueg um-
werben, und teilt sogar eine Pfeife mit ihm, obwohl
er sich bei der ersten Begegnung über die widerli-
chen Rauchwolken beschwert hatte. Quiqueg fragt
schließlich, ob sie in der nächsten Nacht wieder
Bettgefährten sein würden, und als die Antwort »ja«
lautet, »drückte er seine Stirn gegen die meine, um-
fasste mich und sagte, nun seien wir ein Paar (was in
der Ausdrucksweise seines Landes besagen wollte,
wir seien hinfort Blutsbrüder)«. Diese Vereinigung
wird von Ismael noch durch eine symbolische Be-
kehrung bekräftigt, wie man sie von Paaren unterschiedlichen Glaubens oder Bekenntnisses als ein
Zeichen des Respektes oder der liebevollen Ver-
pflichtung kennt.

»Ich bin ein guter Christ, geboren und erzo-
gen im Schoß der allein selig machenden Pres-
byterianischen Kirche.« Doch mit Quiqueg muss
er zum Götzenanbeter werden, und so küsst er
die kleine Holzstatue, verbeugt sich vor ihr,
und dann gehen Quiqueg und er schlafen, doch
nicht, ohne zuvor noch ein wenig miteinander zu
schwatzen.

Ich weiß nicht, wie es kommt: Wenn Freunde
einander etwas anzuvertrauen haben, so geht's
am besten im Bett. Mann und Frau sollen ja die
tiefsten Tiefen ihrer Seele dort voreinander auftun, heißt es, und manches alte Ehepaar liegt oft
bis gegen Morgen wach und erzählt sich von alten
Zeiten. So lagen denn auch wir in der Flitterwochen unserer Freundschaft, Quiqueg und ich –
wie ein vertrautes Liebespaar.

An Bord des Schiffes von New Bedford nach Nantucket beweist Quiqueg, dass er Ismaels Liebe verdient. Den Passagieren fällt die ungewöhnliche Freundschaft zwischen den beiden auf, und ein »Laffe«, der den »Kannibalen« beleidigt, wird von Quiqueg aufgehoben und durch die Luft geschleudert. Doch als der Beleidiger später über Bord fällt, ist es der kraftvolle Quiqueg, der in die eisige Gischt springt und ihn rettet.

Als sich die Erzählung auf die *Pequod* verlagert, werden Ismael und Quiqueg durch ihre unterschiedlichen Aufgaben voneinander getrennt, aber auch dadurch, dass nun Ahab, Starbuck, die Mannschaft, blinde Passagiere und endlich die Jagd mit dem abschließenden nassen Begräbnis die Erzählung beherrschen. Doch die untergründige Verlobung wird nicht aufgelöst. Die Erzählung ist schon weit fortgeschritten, als Ismael und Quiqueg helfen, einen gefangenen Wal zu »flensen«, und bei ihrer gefährlichen, schlüpfrigen Arbeit auf dem Walrücken durch ein Affentamp miteinander verbunden sind. Dieses Seil festigt die eheliche Bindung.

Daher waren wir beide auf Gedeih und Verderb aneinander gekettet. Sollte der arme Quiqueg in der Tiefe versinken, so heischten Ehre und Seemannsbrauch, daß ich nicht etwa die Leine kappte, sondern mich in seinem Kielwasser nachschleppen ließ. Ein etwas verlängertes siamesisches Band verknüpfte uns unzertrennlich. Quiqueg war mein Zwillingsbruder, und auf keine Weise konnte ich mich aus der gefährlichen Verbindung lösen, die das hanfene Band knüpfte.

In den Kapiteln »Der Händedruck« und »Der Talar« werden vornehme, scheue Empfindlichkeiten mit wilder Bravour herausgefordert. Ismaels Lobpreisung seiner Hände in dem riesigen Fass mit Walrat, so sänftigend es auch wirken mag, spiegelt doch auch eine außergewöhnliche Erregung, ein Versinken in oder ein Aufsteigen zu einem Schwelgen in phantastischer Lust und einer unbeabsichtigten Vereinigung mit den übrigen Matrosen. »Ich preßte und preßte, bis sich mir schier die Sinne verwirrten – preßte und preßte auf einmal die Hände meiner Kameraden, die ich von den zärtlichen Kügelchen nicht mehr unterschied.«

Überbordende Gefühle äußerster Glückseligkeit; das Paradies. Der Brauch will, so erinnert er sich, dass das Paradies bei dem Weibe zu finden ist, dem Heimatland und so weiter, doch in seinen Visionen sieht er: »Das Paradies mit den langen, langen Reihen der Engel, und jeder hatte einen Krug Walrat vor sich, in den er die Hände eintauchte.« Das äußerst knappe Kapitel »Der Talar« handelt von einem aus der riesigen, gedehnten Vorhaut des Wals gefertigten »Kleid«. Vom »Mincer« des Schiffes »tüchtig gereckt« und getrocknet, wird es so weit, dass er es wie ein »Ordensgewand« tragen kann. Und da steht der Mann »im ehrbaren schwarzen Ornat auf weithin sichtbarer Kanzel, vertieft in seine Bibelseiten – der Mincer verdiente ein Erzbistum, er wäre mir der Rechte für den Heiligen Stuhl!« Der Wal, jeder Wal, ist außergewöhnlich maskulin, und die Nähe zur Ungeheuerlichkeit oder auch zur Erhabenheit seines Leibes weckt pornographische Träume in den winzigkleinen Matrosen mit ihren

173

Speeren. Vielleicht aber wollte Melville mit dem Bericht über die Vorhaut und ihrer infamen Verarbeitung zu einem Kleidungsstück auch nur weitere Informationen über die Gewohnheiten der Walfänger mitteilen, über Soziologie und Anatomie und über das Unternehmen, die kommerzielle Arbeit, die Öl für die Lampen nach Amerika brachte. Schon als er 1851 den Roman schrieb, drohte am Horizont der Untergang der Walfangindustrie von Neuengland. Der Talar aber tauchte wohl kaum in den Bilanzen im Büro der Schiffseigner auf. Das kurze Kapitel ist einfach eine tollkühne Ungehörigkeit.

Die Liebeslyrik, mit der *Moby-Dick* beginnt, ist in einer sparsamen, einfachen Sprache gehalten, die sich deutlich vom prachtvollen Wortrausch des übrigen Romans unterscheidet. »Wir wollen uns hier auf Quiquegs Eigenheiten nicht näher einlassen, wie er Kaffee und warme Brötchen stehenließ und seine ungeteilte Aufmerksamkeit den kaum angebratenen Beefsteaks widmete...« Quiqueg wird ein »redliches, einfältiges Herz« zugeschrieben, er hat »eine Hoheit an sich, der sein ungeschliffenes Wesen nicht viel anhaben konnte«, angenehm, genial, natürlich, gemütlich, nett, gesellig, eine wahre Freude für jeden Haushalt. Das Buch ist überwiegend in Pittsfield in Massachusetts geschrieben worden, wo seine Frau, sein Sohn – der zweite sollte bald geboren werden – seine Mutter und seine Schwestern in einem Haus wohnten.

Alle sind sie da, nur Melville nicht, der sondert sich ab, träumt und erinnert sich in den Tiefen von *Moby-Dick* an ein gewaltsames Untertauchen, das einem Ertrinken gleichkam. Reminiszenzen an die

See, die Walfänger, verstärkt durch Sekundärliteratur, die längst pflichtschuldig von den Gelehrten ausfindig gemacht wurde, doch ist die *Pequod* nicht von Nantucket oder anderswo abgesegelt, kein Quiqueg, Harpunier, wurde im Logbuch vermerkt. *Moby-Dick*, das ist die Loslösung der Phantasie von realen Schiffen und Inseln, von Toby und Doktor Langgespenst und Jack Chase. Es heißt, dass Melville bei schlechter Gesundheit war, deprimiert, doch durchlebte er an diesen einsamen Vormittagen in euphorischer Stimmung Freiheit und Leidenschaft. Als sich die letzten Worte abzeichnen, treibt Ismael allein dem Überleben in dem einstigen Sarg des Wilden entgegen, der zum Rettungsboot wurde, zum schwimmenden Bett des geborgenen, liebenden Paares. Alle Knoten sind gelöst.

Wie verwirrend es dann ist, Ismael in Pittsfield zum Abendessen herunterkommen zu sehen, bei dem die Rede von Geld sein wird. Irritierender noch, daran zu denken, dass er sich anschließend ins Schlafzimmer zurückzog, um nach Malcolm und Stanwix seine Töchter Elizabeth und Frances zu zeugen. Die versammelte Familie kann keine Ahnung vom schweren Herzen dieses Haushaltsvorstandes gehabt haben. Noch können sich die Studenten dies bei ihren Examensarbeiten vorstellen, die Kommentatoren, deren Augen die in seinen Büchern angestrichenen Passagen absuchen, die Kritiker, die Biographen in ihren langen, langen Werken und in ihren kurzen. Von Melville muss einfach gesagt werden, dass er sich das Rätsel seines Innenlebens verdient hatte.

Redburn, das Buch über die erste Reise wie auch der junge Mann gleichen Namens, lassen in den beschriebenen, unerlaubten Anstößigkeiten einen autobiographischen Ton hören, der vertraulicher als die Erinnerungen des Deserteurs in *Taipi*, *Omu* und *Weißjacke* klingt. Auf dem Handelsschiff *St. Lawrence* ist Melville zwanzig Jahre alt, angeheuert für vier Monate, um Dienst auf der Fahrt nach Liverpool zu tun. Als das Schiff im Hafen anlegt und die Mannschaft Landgang erhält, begegnet Redburn einem jungen Mann namens Harry Bolton.

Harry Bolton ist der aus dem Leben gegriffene Typ eines nervösen, melodramatischen jungen Homosexuellen, den das Glück im Stich gelassen hat, und als solcher ist er so peinlich und so interessant wie das Leben selbst. Redburn, also Melville, akzeptiert Harry und misstraut ihm zugleich, doch so, wie die Begegnung erzählt wird, scheint alles an ihr eine verblüffende Unschuld von Herz und Verstand zu verraten, die sogar noch jenen Trotz trägt, mit dem diese Szenen der Öffentlichkeit unterbreitet werden. Der bisherige Verlauf des Romans bereitet den Leser durch nichts auf jenen außergewöhnlichen, interessanten Abstieg in eine üppig ausgestattete Unterwelt vor, die ihn dort so plötzlich erwartet.

Die beiden Männer treffen sich auf den Straßen Liverpools, und Redburn fühlt sich gleich zu Harry hingezogen. Er ist kein blöder, abgestumpfter Fisch im Sammelbecken der Matrosen. Er ist ein Fremder, ein englischer junger Mann, der mit der Selbststilisierung bestens vertraut ist.

Eine Straßenbekanntschaft mit einem »hübschen, wohlerzogenen, aber unglücklichen Jüngling«. Klein, mit wohlgebildeten Beinen, lockigem Haar, seidigen Muskeln, einem Gesicht von mädchenhafter Schönheit, großen Augen, schwarz und frauenhaft, einer Stimme wie eine Harfe, sodass sich nur schwer erklären lässt, was »dieses feine fremdartige Gewächs aus den Treibhäusern irgendeiner Regent Street« auf die Kartoffeläcker von Liverpool geführt haben mochte. In einem Gasthaus schwatzt Harry über eine mögliche Reise nach Amerika, und so beginnt die Freundschaft mit diesem »unverkennbaren jungen Gentleman«. Harry erzählt seine Geschichte: Geboren in der alten Stadt Bury, Waise, doch Erbe eines Vermögens von über tausend Pfund. Ab in die Großstadt, wo das Vermögen mit zockenden Sportsleuten und Dandys bis auf den letzten Sovereign durchgebracht wird.

Weitere Ausführungen über den neuen Freund: Als Seekadett der Ostindischen Gesellschaft unterwegs nach Bombay, behauptet er, habe er Masten erklommen, und so wird er auf Redburns Schiff angeheuert, das aber erst in einigen Tagen auslaufen soll. Zusammen treiben sie sich in den Wirtshäusern entlang der Landstraßen herum, weitere faszinierende Neuigkeiten über den Gefährten und über seine Freundschaft mit dem Marquis von Waterford und mit Lady Georgina Theresa, der edlen Tochter eines anonymen Earl.

Harry ist in einem Augenblick völlig abgebrannt, im nächsten huscht er davon und kehrt mit genügend Geld zurück, um eine erstaunliche Reise nach London bezahlen zu können. (Es gibt keinerlei Belege dafür, dass während dieser frühen Reise des Jahres 1839 eine solche Fahrt von Liverpool nach

London tatsächlich stattgefunden hat, sie lässt sich auch nicht bis 1849 nachweisen, als Melville knapp zwei Wochen nach der Veröffentlichung von *Redburn* zum ersten Mal nach London fuhr.) Als sie in der Stadt eintreffen, klebt sich Harry einen falschen Backenbart und Schnurrbart an, »nur aus Vorsicht, damit seine vertrauten Freunde in London ihn nicht erkennen«. Der arme Harry verfällt in Panik und fieberhafte Hysterie, was zu jener meisterhaften Hell-Dunkel-Zeichnung beiträgt, mit der sein Charakter und die folgende Klubszene so wunderbar dargestellt werden. Eine furchtlose Wiedergabe zudem in sexuellen Bildern der Dekadenz und des Privilegs in ganz erstaunlicher Umarmung.

Der Klub ist eine »halböffentliche luxuriöse Vergnügungsstätte«, die sowohl mit subterranen Bildern – Pariser Katakomben – wie auch mit Bildern einer Palastdekoration im Stil der Farnese beschrieben wird. Im ersten Saal befindet sich eine detailreich ausgemalte Freskodecke. Im Licht der Gaslampen scheint sie dem verwirrten Blick Redburns den Schimmer vom »mondhellen Garten der Porzia in Belmont« zu haben, »wo sich das anmutige Liebespaar Lorenzo und Jessica irgendwo zwischen den Reben bergen mochte«. Beflissene Kellner eilen umher und folgen den Anweisungen eines alten Mannes »mit schneeweißem Haar und Backenbart und in schneeweißer Jacke – wie ein blühender Mandelbaum sah er aus ...« Ganz wie in einem herkömmlichen Klub gab es Grüppchen feiner Herren »mit geschliffenen Karaffen und Weinkelchen, Journalen und Zigarren vor sich«.

Redburn legt in dieser Szene einige Neugier an den Tag, ist aber entsetzt über die Art, wie Harry ihn plötzlich in dieser unberechenbaren Atmosphäre allein zurücklässt. Später begeben sie sich in ein Privatkabinett, und Redburn glaubt, er »versänke langsam in einem widerstrebenden verschilften Meer; so dick und federnd war der Perserteppich«. Orientalische Ottomanen, »deren Kette und Einschlag ein kunstvolles Geflecht aus Schlangen bildete«, und »Bilder, wie sie sich laut Martial und Sveton im Geheimkabinett des Kaisers Tiberius befanden«. Die Büste eines alten Mannes, »der mit geheimnisvoll boshaftem Ausdruck einen dürren Finger Schweigen gebietend auf die Lippen presste. Sein Marmormund schien vor Geheimnissen zu beben.«

Hektisch widmet sich Harry noch einmal privaten Angelegenheiten und drückt Redburn einen Brief in die Hand, den er aufgeben soll, falls Harry bis zum Morgen nicht zurückkehrt. Und dann verschwindet er, doch nicht, ohne Redburn dem Diener zuvor als den jungen Lord Stormont vorzustellen. Der Amerikaner, mittelloser Sohn eines Senators et cetera, war nun völlig verschreckt und fand den Ort »verpestet«, als wäre »irgendeine östliche Seuche eingeschleppt worden«. Dann wird die Tür halb aufgerissen, und er erblickt »plötzlich einen großen furchtbar erregten Mann, der ganz außer sich mit geballten Fäusten über den Flur auf die Treppe zustürzte«. Im Folgenden ergeht sich Redburn in Bildern der Angst und des Abscheus. »Alle Spiegel- und Marmorflächen ringsum schienen über und über von Gewürm zu wimmeln; und ich dachte bei mir, daß die

Schlange des Lasters, so golden sie auch schillert, eben doch eine Schlange bleibt.«

Diese makabre Exkursion mit ihren schlüpfrigen Bildern vergeht wie ein quälender Traum, und Harry kehrt mit den Worten zurück: »Auf nach Amerika! Das Spiel ist aus!«

Jungenhafte Neckereien prägen von nun an wieder die Beziehung zwischen den beiden. Zurück auf dem Schiff taucht Harry in voller *maquillage* an Deck auf, »in einem brokatenen Morgenrock, gestickten Pantoffeln und einem quastengeschmückten Hauskäppchen, um seine Morgenwache anzutreten!« Als ihm befohlen wird, in die Wanten zu steigen, fällt er fast in Ohnmacht, und so stellt sich heraus, dass der Bericht von der Schiffsfahrt nach Bombay auch nur eines seiner Lügenmärchen war. Trotzdem hält Redburn dem Freund die Treue, und das Kapitel, das die Ankunft in New York beschreibt, heißt: »*Redburn und Harry*, Arm in Arm im Hafen«. Redburn führt ihn umher, stellt ihm einen Freund vor, der ihm, wie er hofft, Arbeit vermitteln kann, und verlässt ihn dann. Was anderes wäre ihm auch nicht übrig geblieben, schließlich konnte er seinen Galan wohl kaum mit nach Lansingburgh bringen. Jahre später erfährt er, dass Harry Bolton auf einem anderen Schiff angemustert hat und über Bord gesprungen oder gefallen ist.

Im Roman kommt es zu einer weiteren Begegnung, beschrieben mit einer lyrischen Begeisterung, die frei von allem Makel der verseuchten Londoner Unterwelt ist. Gemeint ist Carlo, »mit seinem dichten Lockengerank, das die Stirn und die zierlichen Ohren halb verdeckte. Das vom Knie ab nackte

Bein war herrlich anzusehen wie der schönste Frauenarm, so weich und gerundet, von kindlicher Leichtigkeit und Anmut.« Mit seiner Drehorgel zieht er durchs Leben und bettelt auf den Straßen um ein paar Münzen. An Deck versetzt Redburn der Klang der »einfachen« Musik in einen wahren Taumel des Entzückens:

Spiel zu, spiel zu, Italienerjunge! … Sieh mich an mit deinen tiefsinnigen Morgenaugen… laß mich dein unergründliches Auge ergründen… Alles das konnte Carlo mich neu erschaffen, vernichten; mich aufrichten, zerstücken und zusammenfügen Glied um Glied… Und Carlo! – Wehe der Stimme, die dich, mein Italienerjunge, je anders als freundlich begrüßt; verflucht der Sklave, der je dein Wundergehäuse voller Bilder und Klänge von einer Herrschaftstür vertreibt.

Die Szenen mit Harry Bolton wurden nicht sonderlich geschätzt, »aufgesetzt«, klagten zeitgenössische Kritiker und schienen sie eher für Mängel in der Struktur des Romans zu halten, als ihnen die blumigen Adjektive oder das schmachtende Verlangen nach männlicher Schönheit klassisch androgyner Perfektion anzulasten, die ihre wahre Erhabenheit erst in der unschuldigen Lieblichkeit von Billy Budd offenbaren würde, Melvilles herzzerbrechender Totenbettvision.

Hershel Parker, der enzyklopädische Biograph und unermüdliche Melville-Forscher, kann an dem »schwammigen« Harry Bolton nichts Faszinierendes finden und antwortet mit einigen reizvollen Ideen auf die Frage, warum Melville den Roman *Redburn,* ein Werk von dauerhaftem Interesse, so unverhohlen geringschätzig abtat. »Was er als jung verheirateter Mann und frisch gebackener Vater damit bezweckte, ist bis heute unklar.« Und: »... nur ein junger und noch naiver Mann konnte glauben, er vermöge eine Art psychologischer Autobiographie zu schreiben..., ohne die Folgen tragen zu müssen.« Parker deutet an, dass Melville wusste, welche Torheit er begangen hatte und dass er einsah, homosexuelle Sehnsüchte oder gar homosexuelle Erfahrungen aufgedeckt zu haben.

Parker liefert ein weiteres Detail für jene Atmosphäre, die den Schriftsteller Tag und Nacht umgab. Damals meldete sich in Amerika eine Gruppe zu Wort, die sich die *Come-Outers* nannte, eine Sekte, die sich an die Ermahnung des heiligen Paulus im 2. Korintherbrief, Kapitel 6, Vers 17 halten wollte: »Darum gehet aus von ihnen und sondert euch ab«. Ziel der Gruppe war es, Informationen offen zu legen, die normalerweise zurückgehalten wurden. Parkers Nachforschungen scheinen darauf hinzuweisen, dass Melville diese Sekte kannte, nur war ihm nicht aufgefallen, dass er »unwissentlich dem psychologischen Äquivalent dieser neuen amerikanischen Sekte beigetreten war, dass er, mythologisch gesprochen, Pandoras Büchse aufgemacht hatte, als er glaubte, nur ihren Deckel zu beschreiben«.

Es ist nicht klar, ob die Come-Outers sich als Homosexuelle »outen« wollten, wie man heute sagen würde, falls solche Offenbarungen denn von Bedeutung waren. Im biblischen Text bezieht sich Paulus wohl auf jene Korinther, die Götzen anbeteten oder mit Tugenden prahlten, die ihnen fremd waren, die also etwa Trauer zeigten, wenn sie sich insgeheim freuten, die Armut vortäuschten, wo sie doch heimlich Reichtümer aufhäuften.

Wenn aber Melville *Redburn* geringschätzig abtat, weil er den Roman für eine peinliche und unwürdige Selbstoffenbarung hielt, warum hat er dann im nachfolgenden *Moby-Dick* die zärtliche Vereinigung von Quiqueg und Ismael beschrieben? Ein weiteres Wunder von Kunst und Leben: Wie ist Melville auf den prachtvollen, lasziven Klub gekommen, den er mit solch versessener Genauigkeit in *Redburn* beschreibt? Kein Bericht kam zutage wie die Asche und Schlacke von Pompeji, der die nächtliche Fahrt zu einer historischen Tatsache machte. Doch schließt sein Fehlen auf immer aus, dass dieser Ausflug tatsächlich stattgefunden hat? Da fiele es doch weit schwerer zu glauben, dass Melville in seiner Phantasie – oder in dem, was manchmal sein Gebrauch und Missbrauch von Quellen genannt wird – völlig frei von der trunkenen Lust war, einige Türen zu verwirrenden Räumen aufzustoßen.

Dass zarte, kaum seetüchtige Männer, manche in Offizierspositionen, auf den strengen, hierarchisch geführten Segelschiffen Dienst taten, scheint ein Rätsel ihres Berufes zu sein, dem der Beigeschmack der Reportage oder zumindest der Glaubwürdigkeit anhaftet. Der schon in *Omu* erwähnte, schwächliche Kapitän Guy oder Selvagee (Wantstropp) in *Weißjacke* mit seinen Duftwässerchen, umbördelten Taschentüchern, Krawatten und Brennscheren, ein unfähiger Seemann, aber dennoch Kapitänleutnant eines Schiffes der amerikanischen Marine.

Jack Chase, der gebildete, mannhafte Freund in *Weißjacke*, dem siebenundvierzig Jahre später *Billy Budd* gewidmet werden sollte, mag einen romantischen Angelpunkt für Melvilles unstete Gefühle abgegeben haben. Chase ist ein Mann von Welt und segelt doch als gewöhnlicher Matrose, da er sich weigert, unverdiente Autorität zu akzeptieren. Auf eigenen Wunsch ist er so etwas wie ein Außenseiter, der es an Land wie auf See zu etwas hätte bringen können, der sich aber dank seines starken, doch widerspenstigen Charakters dagegen entscheidet. Er trinkt und zieht nach Belieben durch die Welt, der tapfere Seemann des Vortopps. »Wo immer du jetzt auch durch die blauen Wogen gleiten magst, lieber Jack, laß meine Liebe dich begleiten und Gott dich auf all deinen Wegen beschützen!« Den gleichen Eindruck vom ewigen Wandergesell vermittelt auch die Widmung in *Billy Budd*: »Für Jack Chase, den Engländer; wo immer er nun weilen mag, auf Erden oder im Paradies«.

Die parfümierten Kameraden an Bord werden milde belächelt. Der schöne Harry Bolton, der flunkernde, trickreiche und gänzlich verrufene Gefährte, wird in seinem törichten Aufzug von Melville, beziehungsweise vom jungen Redburn, vollständig durchschaut, und dennoch ziehen sie am Ende Arm in Arm durch die Straßen von New York. Körperliche Nähe aber gibt es nur mit Quiqueg – diesem schlichten Sohn eines Häuptlings mit »kannibalischen Neigungen«, die in »seiner unbewachten Jugend« von ihm genährt worden waren.

Nach einigen Jahren auf See beginnt Melville, noch keine dreißig, unter anständigen, wohl erzogenen Männern und Frauen zu leben, weiß aber viel über ein Leben, von dem sie nichts wissen konnten. Die Lektüre seiner Bücher vermag seine tiefe Zurückgezogenheit nur wenig zu erhellen, genauso gut hätte er bei den Indianern der Prärien verbrachte Jahre beschreiben können. Spätabends, bei Zigarren und einem animierenden Brandy, mag Hawthorne jene Kluft in Melvilles Wesen gespürt haben, auch wenn er sie weder benennen noch verstehen konnte. Bevor sie sich kennen lernten, hielt er in seiner Besprechung von *Taipi* fest, dass der Autor über eine gewisse »Freiheit in seinen Ansichten« verfüge, »– sie laschen Prinzipien zuzuschreiben, wäre allzu unnachsichtig –; eine Freiheit, die ihn aufgeschlossen einen Moralkodex akzeptieren läßt, der mit unserem nur selten übereinstimmt«, und fügt dann hinzu, dass dies den Umständen dieses Buches durchaus angemessen sei. Später hat ihn der Überschwang, mit dem Melville die intellektuelle wie kreative Freundschaft zu einem Schriftstellerkollegen begrüßte, wohl abgeschreckt. »Gib dir selbst mich hin!«, knisterte es von Anfang an im späten Kaminfeuer.

Die Biographin Robertson-Lorant hat nicht nur vermerkt, dass Melvilles Sohn mit einem männlichen Freund an der Seite starb, sie äußerste sich auch zu Melvilles Bemühungen, in *Redburn* mit seiner Sexualität ins Reine zu kommen – und fügt dann den verstörenden Absatz hinzu: »Vielleicht aber musste Melville auch mit etwas ins Reine kommen, was nur er selbst über seinen älteren Bruder wusste. Steht Harry für etwas, das ihm bei Gansevoort zu schaffen machte?« Unbeantwortete Fragen scheinen uns auf einen Friedhof mit den Überresten manch ungelüfteter Geheimnisse zu führen. Doch so vieles bei Melville beginnt mit *scheint, könnte sein* und *vielleicht*.

Billy Budd

Billy Budd, Vortoppmann[7] – zum Zeitpunkt des Todes in unfertiger, zumindest aber nicht redigierter
Fassung hinterlassen und von seiner Frau aufbe-
wahrt. Eine Rückkehr zum Roman, letzter Wille
und Testament, eine Rückkehr zum Geiste früherer
Arbeiten, zurück bis vor den Abzweig, der zur Lyrik führte. Er ist krank, Augenleiden plagen ihn seit
jeher, doch bleibt diesem sonderbaren Mann die
leuchtende Phantasie erhalten, als zögerte sie, sich
durch die Dunkelheit auslöschen zu lassen. Mit
Billy Budd schreibt er eine lyrische Tragödie über
die Extreme des menschlichen Charakters, eine
Meditation über die Güte, die sich so natürlich zeigt
wie die Sonne am Morgen, aber auch über das

---

[7] Literaturwissenschaftler, die das schludrige Manuskript ent-
schlüsselten, kamen zu dem Ergebnis, dass Melville sich letztlich für den Titel *Billy Budd, Matrose* entschieden hat. Ich
habe den *Vortoppmann* aus sentimentaler Anhänglichkeit für
jenen alten Titel bewahrt, unter dem die meisten von uns das
Buch zum ersten Mal gelesen haben. Der Name des Schiffes,
einst die *Indomitable*, wurde von Melville zu *Bellipotent* geän-
dert, und damit habe ich mich widerstrebend abgefunden.
Trotzdem fällt es mir schwer zu glauben, dass die derben, alten Seeleute gern auf einer *Bellipotent* angeheuert hätten.

mitternächtliche Übel, das ebenso natürlich, wenn auch ohne alle Notwendigkeit und nicht einmal mit einem deutlichen Vorteil behaftet, in der menschlichen Seele wohnt.

In diese zutiefst anrührende Reflexion über die Bedingungen des menschlichen Daseins hat er Details von provozierender Einzigartigkeit eingeflochten; und als Geschichtenerzähler schuf er zudem eine faszinierende Handlung, eine dramatische Abfolge von Ereignissen, ohne die diese Erzählung ein philosophischer Tagtraum wäre. Billy Budd, ein junger Seemann von außergewöhnlicher Schönheit, treuem und gutmütigem Wesen, wird dem Waffenmeister, einer Art Polizeichef, wegen Aufhetzung zur Meuterei gemeldet. Der junge Matrose, der stottert oder doch an einem Sprachfehler leidet, sobald er unter Anspannung steht, ist ebenso unfähig, seine Unschuld wie seine Wut in Worte zu fassen, weshalb er ausholt, zuschlägt und seinen Beleidiger mit einem einzigen Hieb tötet. Den Gesetzen der Marine zufolge muss nun der Matrose Billy Budd gehängt und sein Leichnam der See überantwortet werden.

Doch wer ist Billy Budd? Er ist wirklich ein seltener Fall, der beinahe jeder Beschreibung spottet. Er ist der »hübsche Matrose«, der Apollo mit einem Koffer, er ist Baby Budd, der Schönling – er ist all das, als er mit wiegendem Schritt das englische Schiff *Bellipotent* betritt. Er ist einundzwanzig, ein geschickter Matrose, der in die Großsegel steigt, als flöge er hinauf. Und von Anfang an ist Billy auch ein Mensch mit angeborener Moral und Liebenswürdigkeit. Er ist frei und unschuldig, ein hübscher

Wechselbalg aus dem Nirgendwo. Genau genommen ist er ein Waisenkind, ein Analphabet, der an einen frisch geschlüpften Vogel mit leuchtendem Gefieder erinnert. Sein einziger Makel wurde bereits erwähnt: sein Stottern unter Stress. Von Natur aus friedlich, verbreitet er Frieden auch unter seinen Mitmenschen wie »ein katholischer Priester den Frieden in ein irisches Wespennest gebracht hätte«.

Melville hinterlässt Spuren der kompositionellen Mühe, die es ihn kostet, den beliebten jungen Mann glaubhaft zu machen, seine Vollkommenheit mit reinster Natürlichkeit zu paaren. Der bildschöne Billy: »Sein Gesicht war noch fast das eines Knaben, glatt und beinahe mädchenhaft zart.« Und dann ein Sprung: »Er war das vollkommenste Muster eines reinen Angelsachsen, mit keinem normannischen noch anderen Blute vermischt; und sein Gesicht zeigte jene Gelassenheit eines wohlgeratenen Menschen, wie die griechischen Bildhauer sie bisweilen der heroischen Stärke ihres Herkules gaben.« Der hübsche Junge als Herkules bereitet auf die weitere Entwicklung der Geschichte vor. Der Kapitän des Schiffes, von dem man Billy geholt hat, von dem er, wie es heißt, auf die *Bellipotent* »gepresst« wurde, erzählte von einem Streit auf seinem Schiff, bei dem Billy von einem Matrosen namens Rotbart beleidigt worden war. »Wie der Blitz fuhr Billys Arm in die Höhe. Ich glaube nicht, daß er so weit gehen wollte; jedenfalls gab er dem Rüpel einen furchtbaren Schlag.« Billys früheres Schiff hatte *Rights-of-Man*, also *Menschenrechte*, geheißen.

John Claggart, der Waffenmeister, ist das spiegelbildliche Gegenstück zu Billy Budd. Die unberechenbare, doch entschlossen feindselige Haltung gegenüber dem allgemein beliebten Billy ist ein Rätsel, ein außergewöhnlicher Umstand, und er lässt jene »unvermittelte Bösartigkeit« erkennen, auf die Coleridge in einem Augenblick psychologischer Resignation bei der Erklärung von Shakespeares Jago zurückgreift. Wie bei Billy weiß man nichts über Claggarts Vergangenheit, als wäre er völlig unbelastet von früheren Ereignissen. Mit fünfunddreißig war er auf das Schiff gekommen, als hätte ihn, so dachten seine Kameraden, eine Wolke üblen Leumunds dorthin getrieben.

Er wird von Melville, dem Liebhaber verbaler Porträtkunst, sorgsam beschrieben. Claggart gab keine schlechte Figur ab, war mager und groß, die Züge rein geschnitten, nur erinnerte sein Kinn etwas an den berühmten, am »Päpstlichen Komplott« beteiligten Intriganten Titus Oates. Es fällt auf, dass Claggarts Hände keine Spuren harter Arbeit aufweisen, und dass seine Gesichtsfarbe für einen Seemann auffällig blass ist. Er ist gebildet, und ein leichter Akzent verrät, dass er kein Engländer von Geburt sein kann, doch heuerte er auf einem Kriegsschiff an und machte gleich enormen Eindruck durch seine »überlegene Intelligenz, die sich bald zeigte, seine ständige Nüchternheit, seine einschmeichelnde Höflichkeit gegen Vorgesetzte und ein besonderes Talent zum Spionieren, das er bei einer gewissen Gelegenheit bewies. Als Krone des Ganzen verschaffte ihm ein strenger Patriotismus plötzlich die Stellung eines Waffenmeisters.«

Claggart fasst eine heftige Abneigung gegen Billy Budd, die sein Gemüt mit einer brennenden

Leidenschaft erfüllt, rein äußerlich aber von jener »ungewöhnlichen Umsicht« gebändigt wird, wie sie oft mit der »feineren Verworfenheit« einhergeht. Und wie es solchen Gestalten stets gelingt, kann auch Claggart die Hilfe eines korrupten, wehleidigen Matrosen namens Squeak gewinnen, der Billy Budd, diesem gepressten Seemann, den Gedanken an Meuterei nahe legen will, doch wird er vom Herkules in Billys Wesen heftig zurückgewiesen.

Es gibt noch einen weiteren Knoten in Claggarts verschlungenem Charakter:

Wenn Claggarts unbeobachtete Blicke zufällig auf Billy fielen, der müßig während der zweiten Hundswache auf dem oberen Kanonendeck herumschlenderte…, dann folgten diese Blicke dem fröhlichen Schiffshyperion mit einem traurigen nachdenklichen Ausdruck und füllten sich mit seltsam fiebernden Tränen. Dann sah Claggart aus, als drücke die Sorge ihn nieder. Ja manchmal konnte dieses traurige Gesicht einen Ausdruck von Zärtlichkeit und Verlangen bekommen, als hätte Claggart den Billy sogar lieben mögen, wenn sein Schicksal es gewollt hätte.

In Anspielung auf die knorrigen Strünke im Dickicht von Claggarts Charakter schreibt der große amerikanische Kritiker F. O. Matthiesen: »… ein heutiger Schriftsteller wäre sich dessen deutlich bewusst, was für Melville noch verborgen gewesen war, das sexuelle Element nämlich in Claggarts Unentschiedenheit. Auch wenn Melville nichts

191

davon geahnt haben sollte, zeigt es sich dem modernen Leser doch mit eindringlicher psychologischer Exaktheit.«

Die Geschichte spielt auf britischen Schiffen im Jahre 1797, kurz nach der Meuterei bei Nore. Zuvor hatte bei Spithead eine Mannschaft ihr Schiff übernommen und die Offiziere aus Protest gegen die grausamen Zustände in der britischen Marine an Land gesetzt. Die Meuterei bei Nore war allerdings eine schon etwas ernstere Angelegenheit, eine Bedrohung der britischen Vorherrschaft auf See, die man auch in Zusammenhang mit jener Woge revolutionärer Emotionen sah, die sich von Frankreich aus und in der Folge napoleonischer Eroberungen über ganz Europa ausbreiteten. Die *Bellipotent* musste von einem Handelsschiff zum Kriegsschiff umgerüstet werden. Zu diesem Zweck wurden Männer von der Straße geholt und in den Seedienst gepresst. Aus dem gleichen Grund wird auch Billy von seinem Schiff, der *Rights-of-Man*, geholt. Er ist durchaus bereit, den neuen Dienst anzutreten und winkt, als er aufs neue Schiff kommt, dem davonsegelnden Gefährt hinterher: »Lebwohl auch du, alte *Rights-of-Man*!« Dieser – wohl absichtlich – falsch verstandene Ruf spielt eine gewichtige Rolle in Claggarts Behauptung, dass Billy auf der *Bellipotent* zur Meuterei aufgestachelt habe.

Die Anschuldigung wird Kapitän Vere hinterbracht, der Billy zu einer Gegenüberstellung mit Claggart in sein Quartier holen lässt. In der Kajüte weist der Kapitän Claggart an, »diesem Mann ins Gesicht« zu sagen, »was Sie mir über ihn gesagt haben«. Billy steht da wie »gepfählt und geknebelt«,

während der Kapitän ausruft: »Sprich, Mann! …
Sprich, verteidige dich!« Die grausame Sprachhem-
mung macht sich bemerkbar, und »gleich darauf
und schnell wie der Feuerschein einer bei Nacht ab-
gefeuerten Kanone fuhr sein rechter Arm in die
Höhe, und Claggart stürzte zu Boden«. Niederge-
schmettert wie von einem Engel Gottes!

Kapitän Vere, gelegentlich auch »Sternen-Vere«
genannt, ist ein seltsamer Vogel, doch keineswegs so
außergewöhnlich wie Billy oder Claggart. Im Verhör in der Kajüte behauptet Billy, dass er nicht beabsichtigt habe, Claggart zu töten, und einige Offiziere verwenden sich für eine Abmilderung der
Strafe, doch Kapitän Vere beharrt darauf, dass die
Absicht nichts zur Sache tue. Seine bewunderns-
werten Qualitäten als Gentleman haben Kapitän
Vere auch den Ruf eingetragen, ein wenig pedan-
tisch zu sein. Er glaubt Billys Bericht von der inneren Aufruhr, da er selbst halb verliebt in den Engel
Gottes ist, und gegen Ende wird deutlich, dass ihm
der Tod durch Erhängen, wie ihn das Gesetz der
Marine vorschreibt, größeren Kummer bereitet als
den Offizieren, die für ein milderes Urteil eintraten
– wenn auch, sind sie doch Offiziere – nicht besonders nachdrücklich.

Im Augenblick der Hinrichtung ruft Billy die zu
Recht berühmten, weithin widerhallenden Worte
»Gott segne Kapitän Vere!« Und er erlischt in einem
Nebel der Symbole:

Im gleichen Augenblick durchbrach die Sonne
das tief im Osten ausgebreitete Wolkenvlies und
ließ es aufleuchten in sanfter Glorie, als erscheine

in mystischer Vision das Lamm Gottes am Himmel. Zur gleichen Zeit, verfolgt von den Blicken der dicht aneinander gedrängten erhobenen Gesichter, stieg Billy hinan; und steigend empfing er das volle Licht der Morgenröte.

Und Kapitän Vere wird an einer Wunde sterben, die ihm eine Musketenkugel schlug, wird mit den Worten »Billy Budd, Billy Budd« auf den Lippen sterben.
Der Garten Eden vor dem Sündenfall, sonnenhelle, selige, sorglose Unkenntnis; dort ruht die rohe menschliche Verlockung, die Zuversicht zu verwirren, die schützende Macht des betörenden, androgynen Athleten wie Claggart auf die Probe zu stellen. Und dort ist endlich auch Melville, der in seinem letzten, schöpferischen Werk vor seinem Tod den Namen des göttlichen Engels nennt. Der Leser steigt wie Billy ins Wolkenvlies der Sprache hinauf, seine herrliche Vision zu ehren.

1856 hielt sich Melville, mit finanzieller Unterstützung von Richter Shaw, sechs Monate im Ausland auf. Nachdem er sich von Hawthorne in Liverpool verabschiedet hatte, verbrachte er die Tage damit, die Schätze Konstantinopels, Kairos, Griechenlands, Palästinas, Roms, Florenz', Venedigs und Neapels gierig in sich aufzunehmen. Diese Reise sollte seiner Gesundheit zugute kommen, der Gesundheit der Menschen in seinem Haus war sie jedenfalls allemal zuträglich. Es waren harte Monate voller Flöhe und mörderischer Wanderungen, doch sah er sich an, was ihm die Grand Tour zu bieten hatte. Straßen, Paläste, Kathedralen, Pyramiden, Moscheen, jedes Gemälde, jede Statue, jeden Kampanile und jedes gastliche Café.

Nach Pittsfield zurückgekehrt, gönnte er sich, müde und mittellos, keine Pause. Aus Geldnot und mangelnder Beschäftigung begab er sich zu drei Vortragsreihen ans Lesepult; die erste forderte das Publikum unter dem Titel »Römische Statuen« auf, sich der großen Bildhauerwerke, der Reiterstandbilder und historischen Büsten zu erfreuen. Womöglich einem Hinweis folgend präsentierte er anschließend »Die Südsee« und danach »Reisen«. Robert Frost, ein wahrer Held der Lesereisen, sagte, dass die Hölle ein halb gefüllter Saal sei – und Melville sollte ihm bald beipflichten. Er verdiente allerdings nicht sonderlich viel mit dieser Tätigkeit, die sich für Henry Ward Beecher und Emerson als so einträglich erwiesen hatte.

Auf einem Klipper unter dem Kommando seines jüngeren Bruders Thomas fuhr er nach San Francisco und Panama. Ob an Land oder daheim, stets schien sich Melville zu wünschen, überall, nur nicht gerade hier zu sein. Eine zweckdienliche Reise nach Washington in der Hoffnung auf eine Ernennung zum Konsul, doch wieder konnte er keinen Eindruck schinden. Mit Empfehlungen und allem Nötigen für diverse Gespräche gerüstet legte er angesichts der Mächtigen hinter dem Schreibtisch offenbar wieder das hoffnungslose Gebaren eines jungen Mannes auf dem Arbeitsamt an den Tag, der zu fragen scheint: Ihr braucht hier doch hoffentlich niemanden, oder?

Inzwischen hatte er sich der Lyrik zugewandt. Lizzie Melville ließ in einem Brief die harmlose, doch immer wieder zitierte Bemerkung fallen: »Hermann hat angefangen, Gedichte zu schreiben. Du brauchst das niemandem auf die Nase zu binden, schließlich weißt du, wie sich so etwas herumspricht.« Lyrik war für ihn kein Zeitvertreib, eher die Offerte eines erfahrenen Schriftstellers an seine Verleger, und als die sich nichts daraus machten, schickte er die Arbeiten auf eigene Kosten an seine Leser. Peter Gansevoort, sein Schwager, schoss so viel vor, dass *Clarel* bei Putnam veröffentlicht werden konnte.

Tod

1863 tauschte die Familie Arrowhead mit Allan Melvilles Haus in der East Twenty sixth Street 104 in Manhattan. Jahre auf dem Land bedeuten ebenso viele lästige Pflichten wie Freuden. Vor dem Fenster sieht man den ungemähten Rasen, aber auch die hohen Neuenglandbäume. Da liegt ein kümmerlich kleiner Holzhaufen, der darauf wartet, aufgestockt zu werden, damit der Backofen und im Winter die Schlafzimmer geheizt werden können. Ein Garten ist ein Grab, wie schon Emerson sagte. Doch aus welchen Gründen auch immer, die Melvilles ziehen in die Twenty-sixth Street und damit in das Haus, in dem Malcolm Selbstmord begehen und sein Vater eines natürlichen Todes sterben wird.

Wie das ganze Land reagierte auch Melville tief betroffen auf die verheerenden Jahre des Bürgerkriegs. Er sah die jungen Rekruten durch die Straßen New Yorks in den Kampf ziehen und schrieb: »Alle Kriege sind kindisch und werden von Kindern geführt.« Er war Unionist, beklagte die Sklaverei, aber auch die Stammesmetzeleien, und aus dieser Stimmung heraus, diesen ihn zerreißenden, widersprüchlichen Gefühlen, entstand *Battle-Pieces and Aspects of the War*, das 1866 von Harper veröffentlicht wurde. Begeisterung ist seinem Wesen fremd, und in *March to Virginia* trauert er um das Los der jungen Männer, die »nach links und rechts schwatzend« davonmarschieren:

> Sterbt erprobt, noch ehe drei Tage vergangen –
> Vergeht, von wütenden Salven belehrt:
> Oder überlebt, beschämt, und geht, gehärtet,
> Einem Zweiten Manassas entgegen.

Der Schluss von *The Armies of the Wilderness* ist von dem gleichen Entsetzen über das brüderliche Elend geprägt:

> Lang hält man die Liste
> Der ungebetteten Toten zurück. Das ist recht;
> Noch ertrügen wir das Flackern
> Der Grableuchten nur schlecht.

Battle-Pieces, über hundert Strophen lang, behandelt alle Höhepunkte des Krieges: Antietam, Gettysburg, Sherman in Georgia, Shiloh, die Kapitulation am Appomattox, und dazu gibt es noch vereinzelte Elegien auf die unbekannten Toten. Mut und Tragik, ein Gefühl böser Vorahnung, in Prosa dazu die Bitte um »verständnisvolle Achtung für unsere verstorbenen Feinde«. Zumeist zog das Buch nur abschätzige Bemerkungen angesehener Amerikaner auf sich und wurde bloß selten mit Lob bedacht. Seine moderate Haltung, sein Mitgefühl für beide Konfliktparteien verletzte, und ein Kritiker nannte seine Gedichte gar »epileptisch«.

So etwa schrieb William Dean Howells, dass die Gedichte Zweifel daran weckten, »ob tatsächlich ein großer Krieg stattgefunden hat, in dem Männer Schlachten schlugen und Frauen um die Opfer weinten: Oder ist nur Mr. Melvilles Gewissen aufgeschreckt worden, verstört von Phantasmen über Truppenanwerbungen, Marschkolonnen, eingebildete Kämpfe, erdachte Meldungen und leidende Menschen, wo nicht Worte und Blut, sondern Worte allein verströmten?«

Der letzte Gedanke in Daniel Aarons hervorragendem Buch über amerikanische Schriftsteller und über den Bürgerkrieg: »Indem er den Krieg als historische Tragödie beschrieb, trotzte Melville den gängigen Ansichten und tat einen weiteren Schritt in die allgemeine Vergessenheit.«

Versmaß und Rhythmus ließen Melville in seinen Gedichten im Stich und lähmten die mitreißende Agilität der sprunghaften Adjektive und Verben, die bei der Lektüre der poetischen Prosa von *Moby-Dick* so verblüfft. Selbst die frühen, dokumentarischen Seiten von *Taipi* beweisen einen meisterlichen Satzrhythmus und ein nahezu unheimliches Gespür für das ausgefallene Wort, das, kaum ins Netz gegangen, sich an seinen genauen Ort fügt. Da ist die Rede vom Hai, dem »schurkischen Wegelagerer der Meere«, von den »schmelzgläsernen, sanft wogenden Weiten« der Südsee und anderswo vom »rachsüchtigen Bug« eines Schiffes. Für *Moby-Dick* verschlingt er Shakespeare, eine heilige Zisterne für seinen übergroßen Durst.

Der Kritiker James Wood schreibt über Melvilles »Metaphernrausch« und verbindet mit eigenem,

kühnem Sprung das »als ob« der Metapher mit Melvilles Nachdenken über Gott. In der Metapher liebevollen Umarmung einer Alternative ruht die
Seele der Skepsis gegen Gott, der selbst nur Schweigen ist. Auf magisch brillante Weise kommt Wood
zu dem Schluss, dass derjenige, »der Gott auf glei-
chem Fuße mit allem anderen ins Meer der Metaphern taucht, den ungläubigen Gedanken heraus-
fordert, *Gott sei nur eine Metapher*«.

Hawthornes Tagebucheintrag über Melville, der
die trostlose Wüstenei der Theologie durchwan-
dere, lässt an Miltons Satan denken, der den Garten
Eden durchstreift und dabei das Elend vorhersieht,
das Adam und Eva in ihrer unbekümmerten Nackt-
heit erwartet. Melville wird über einen Mann
schreiben, dessen Hässlichkeit und bösartige Ver-
kommenheit er mit sorgsamen Strichen festhält,
um plötzlich beiseite zu sprechen: »Nie habe ich
einen Menschen so bemitleidet.« Vertreibung aus
dem Garten Eden, Schmerz, Kummer und die ge-
zielte Boshaftigkeit, die er in seinem Leben erfuhr,
überwältigen die Hoffnung auf Erlösung durch das
Leid und die Wiederauferstehung Christi. In James
Woods einfallsreicher Lesart ist Melville vom
Holländisch Reformierten Calvinismus der Familie
in weit höherem Maße geprägt, als man vermuten
dürfte, doch die Melvillesche Meisterschaft der
Metapher Hand in Hand mit der eisernen Faust des
Presbyterianismus zu sehen, ist doch merkwürdig
erfrischend.

Der grobe Verlauf von Melvilles Leben ist oft
selbst jenen bekannt, die seine Bücher nicht gelesen
haben. Ohne die brüske Herausforderung seiner

Bücher ließe sich leicht an eine der jämmerlichen Figuren in einem Stummfilm denken. Jedes Lächeln, jede Verbeugung wird mit einem Hieb, einem Tritt von einem großen, raffzahnigen, schnauzbärtigen, federfuchsenden Philister belohnt. Wie passend daher, dass das vorletzte Bild einen Buchhalter zeigt, der neunzehn Jahre, von 1866 bis 1885, im Zollhaus am Hafen sitzt. Als Wende im Verlauf der Geschichte kommt der Schreibtisch in der Stadt eher einem dramatischen Zufall gleich. Doch dann ein hämischer Anhang: Als er mausetot in der Erde liegt, prasselt um 1920 ein Regen von Goldmünzen auf sein Grab.

Wie hat Melville – dem der Klang der Goldmünzen kritischer Anerkennung ebenso wie alle anderen Aspekte seiner künftigen Bedeutung, so etwa die Liste endloser Eintragungen unter seinem Namen in der Public Library in New York, versagt blieben – wie hat Melville sich selbst in den Jahren der Büroarbeit gesehen? Er strahlt etwas Finsteres aus, auf zwiespältige, doch gelassene Art gelingt es ihm, sich mit seinem Schicksal abzufinden, stolz auf sein Scheitern, das er zu Gottähnlichem verklärt. Er kann von seiner melancholischen Skepsis nicht lassen, als man Buch um Buch für frevelhaft hält; störrische, düstere Angst um den Gang der Nation weicht keiner behaglichen Anpassung, nur um sich irgendeiner Anerkennung zu erfreuen.

Der zeitliche Ablauf der Jahre im Zollhaus lässt, zumindest für den Anfang, auf einen pathologisch destruktiven Widerwillen schließen. Melville trat die Stelle Ende 1866 an, und Familie wie Freunde fanden, dass Elizabeth in den nächsten Monaten einen wahren Alptraum durchlebte. Sie wollten sie aus dem Haus holen und eine Scheidung durchsetzen, ein für damalige Verhältnisse recht drastisches Mittel. Melville wurde von Wut, Kummer und Erschöpfung zerfressen und neigte zu häuslicher Gewalt. Manchen kam er regelrecht irrsinnig vor. In den folgenden Monaten beging Malcolm Selbstmord, sein Weg, sich von allem zu befreien.

Die Gattin blieb, und der Ehemann hielt durch, sechs Tage die Woche zu vier Dollar am Tag, angesichts des damaligen Dollarwertes kaum mehr als ein Hungerlohn. Während der Arbeit war er von Kannibalen in Schlips und Kragen umgeben, tätowiert mit Gier und Dummheit – manche mussten wegen Veruntreuung von Geldern hinter Gitter. In seiner ganzen Wut wandte sich Melville in der Erinnerung dem Heiligen Land zu, der langen, alptraumhaften Komposition von *Clarel*, dessen Scheitern vorhersehbar war, ein Akt der Rebellion, ein Schrei vom Schafott.

Gute Familien erhalten ihr verdientes Erbe, jedenfalls sollte sich dies bewahrheiten, als die Vettern und Tanten Shaw sich des netten Mädchens erinnerten, das einen Melville geheiratet hatte. Nach neunzehn Jahren, drei Wochen und drei Tagen Arbeit erhielt er die Kündigung aus dem Zollhaus. Weit fort in San Francisco starb Sohn Stanwix an Tuberkulose – ein weiterer unglücklicher Abgang in der männlichen Nachkommenschaft. Der schwierige Vater, der tosende Strom Druckerschwärze, überdauerten bis 1891 – dem Jahr, in dem er mit zweiundsiebzig starb. Die Anzeige in der *New York Times* gab seinen Namen mit Henry Melville an. Er wurde neben Malcolm auf dem Woodlawn Cemetery in der Bronx begraben und hinterließ eine Frau, zwei Töchter und einige Enkel, keine Affäre, keine Liebesbriefe. Seine tiefste Bindung galt dem Reisen, dem Fortkommen, und dem Schreiben, Schreiben, Schreiben, selbst noch in jener Zeit, die als Melvilles Rückzug bekannt werden sollte.

Er starb daheim im eigenen Haus, die Frau an der Seite, die sich in seinem großen Schmerz und in all seiner Not um ihn gekümmert hatte. Offenbar hatte er es zu schätzen gelernt, dass sie so viele Jahre als Mrs. Melville ausgehalten hatte, eine Berufung, mit der sie in ihrer Jugend kaum gerechnet haben dürfte. Alter und Gewohnheit, häuslich werden, Erholung vom aktiven »Schreiben«, so hatte D. H. Lawrence den Zustand seiner Seele beschrieben. Falls dies so war, beendete dies Kleinod, dieser Stolz unserer Kultur, seine Tage in resignierter, erträglicher, prosaischer Einsamkeit mit einem Seufzer.

Nachwort

Bibliographisches Material über Melville wird ausgiebig und intensiv geerntet, wird wie gedroschener Weizen angehäufelt und in die Silos eingefahren. Mein eigenes Körnchen von meinem Hinterhof hinzuzufügen mag vermessen erscheinen. Melville erschließt der amerikanischen Literatur des neunzehnten Jahrhunderts einen Acker wunderbarster Möglichkeiten. So wenig war über ihn bekannt, so viel galt es zu entdecken, von der großen Halde zu retten, verstreute Brocken aufzurechen. Noch fast hundert Jahre nach seinem Tod taucht haufenweise »Zeugs«, Briefe und so, in irgendeiner Scheune auf. Als wären literaturwissenschaftliche Sheriffs am Werk, werden die gilbenden, gammelnden Seiten zusammengerafft und fortgebracht. Seine Bücher gab es noch, und die kurzen Anmerkungen am Seitenrand wurden zum Stein von Rosette, der die Hieroglyphen seiner Gedanken entschlüsseln helfen soll. Die weitreichenden Anspielungen verlangen nach Deutungen, nach Kommentaren so lang wie das Werk, dem sie zugehören.

Melvilles Texte sind Gegenstand wilder Überinterpretationen, doch muss auch gesagt werden, dass sein Genie von solcher Eigentümlichkeit ist, solcher Beharrlichkeit, solcher Sprunghaftigkeit – Weitschweifigkeit, wem das besser gefällt –, dass sein Werk geistige Verstiegenheiten geradezu nahe legt. Ist der arme Wal unser aller Vater, unsere Mutter oder gar der leibhaftige Gott? Melville ist Mystiker oder aber ein brillanter Nihilist aus Dostojewskis »Dämonen«. Und was man für autobiographisch hielt, mag sich als etwas völlig anderes erweisen, ein, zwei Fakten aber können dann plötzlich wieder durchaus autobiographisch gemeint sein. Und was die Zukunft betrifft, lässt er da mit Donnerstimme ein endgültiges *Klar doch* oder eher ein *Nein* verlauten?

Dieses Buch ist Ergebnis einer Lektüre seiner Werke. *Mardi*, *Pierre* und das äußerst lange Gedicht *Clarel* durchzulesen, ist keine Kleinigkeit, doch haben begabte Kritiker allerhand Interessantes in diesen ehrfurchtgebietenden Werken gefunden: Gedanken über Familie und Beruf in *Pierre*, über Religion und Hawthorne in *Clarel*. Ich gestehe, ich bin eilig über sie hinweggegangen. Falls ein Buch die Lektüre von Melville anregen kann, dann sollten jedenfalls *Taipi*, *Redburn* und vielleicht noch *Maskeraden* zu den eher populären Titeln wie *Moby-Dick* und den kürzeren Prosatexten wie *Benito Cereno*, *Bartleby* und *Billy Budd* hinzugefügt werden.

In Sachen Autobiographie habe ich seiner obsessiven Beziehung zu Hawthorne einigen Raum gewidmet, aber auch den »homoerotischen« Refrain in seinen Büchern ein wenig zu Gehör gebracht. Dieses wiederkehrende, musikalische Thema hat Melvilles heutiger Reputation keinen Schaden getan. Ich muss gestehen, ich fand es bemerkenswert, und so habe ich die Noten jeweils an jenen Stellen vermerkt, an denen ich die Melodie vernommen habe. Was sie bedeutet, können wir nicht wissen. Die jungen Männer sind von jener traumhaften Schönheit, die vergeht, wenn der Tag anbricht. Und dabei wollen wir es belassen.

Bibliographie

Aus den Romanen habe ich nach der Ausgabe der *Library of America* zitiert. 3 Bände 1983 84. Viking Press. Grundlage hierfür ist die Northwestern-Newberry-Ausgabe der *Writings of Herman Melville*. Hrsg. Harrison Hayford, Hershel Parker und G. Thomas Tanselle.

Die deutschen Zitate sind folgenden Ausgaben entnommen:

- *Moby-Dick*; Zürich 1977, Diogenes-Verlag, Tb-Ausgabe, übers. v.: Thesi Mutzenbecher und Ernst Schnabel.
- *Israel Potter;* Leipzig 1960, Dieterich'sche Verlagsbuchhandlung, übers. v.: Uwe Johnson.
- *Bartleby*; Frankfurt 1988, Fischer-Tb, übers. v.: W. E. Süßkind.
- *Mardi und eine Reise dorthin*; Hamburg/Bremen 1997, btb-Verlag, übers. v.: Rainer G. Schmidt.
- *Taipi*; Leipzig 1953, Sammlung Dieterich, übers. v.: Ilse Hecht.
- *Benito Cereno*; Leipzig 1956, Sammlung Dieterich, übers. v.: Günther Steinig.
- *Maskeraden oder Vertrauen gegen Vertrauen*; Bremen/Hamburg 1999, übers. v.: Christa Schuenke.
- *Omu – Wanderer in der Südsee*; Leipzig 1955, Dieterich'sche Verlagsbuchhandlung, übers. v.: Martin H. Richter.
- *Die verzauberten Inseln oder Encantadas*; Düsseldorf/Zürich 1997, Artemis & Winkler Verlag, übers. v.: Richard Mummendey.
- *Redburn – Seine erste Seereise*; Leipzig 1965, Dieterich'sche Verlagsbuchhandlung, übers. v.: Barbara Cramer-Nauhaus.

- *Pierre*; Carl Hanser Verlag, München, noch nicht erschienen, übers. v.: Christa Scheunke.
- *Weißjacke*; München 1976, Moewig-Verlag, Hrsg. v. R. W. Pinson und Heinz Reck.
- *Billy Budd*; Zürich 1981, Diogenes Verlag, übers. v.: Lislott Pfaff.
- Zitate aus *Clarel* wurden vom Übersetzer ins Deutsche gebracht.

Collected Poems of Herman Melville. Hrsg. v. Howard P. Vincent. Hendricks House 1947.

Clarel. A Poem and Pilgrimage in the Holy Land. Hrsg. v. Harrison Hayford, Alma A. MacDougall, Hershel Parker und G. Thomas Tanselle. Northwestern University Press und Newberry Library, 1991. Tb-Ausgabe.

The Letters of Herman Melville. Hrsg. v. Merrell R. Davis und William H. Gilman. Yale University Press, 1960.

Journals. Hrsg. v. Howard C. Horsford und Lynn Horth. Northwestern University Press und Newberry Library, 1989.

Biographien

Parker, Hershel: *Herman Melville. A Biography*. Bd. 1, 1819–51, John Hopkins University Press, 1996.

Diese neueste Biographie über Herman Melville, der ein zweiter Band über die verbleibenden vierzig Jahre folgen soll, ist 883 Seiten lang. H. Parker zählt zu den besten Kennern Melvilles und hat zahllose Arbeiten über ihn verfasst, Schriften herausgegeben und kommentiert. Mit der Biographie hat er sich auf ein erstaunliches Unterfangen eingelassen, und man kann nur hoffen, dass er nicht irgendwann von diesem Werk behaupten wird, was George Eliot über *Romola* sagte, dass sie es als junge Frau begann und als alte Frau beendete. Von Mel-

villes Leben weiß man, sieht man von den wenigen Jahren auf
See ab, gewöhnlich nur, dass sein Werk unterging und wieder
entdeckt wurde, eine dramatische Kombination, von der Melville nur den ersten Teil kennen lernen sollte. Die Familien
Gansevoort und Melville zeugten zahlreiche Nachkommen,
und diese wiederum schrieben Briefe, unternahmen Reisen,
arbeiteten, heirateten, fügten der länger werdenden Liste weitere Sprösslinge hinzu und gerieten in Schwierigkeiten. Diese
Horde von Verwandten wird in den neueren Biographien über
Gebühr beachtet. Außerdem haben Schiffe Kapitäne und
Mannschaften, die sich aufspüren lassen. Das Haushaltsbuch
verrät, dass Geld geliehen und ausgegeben wurde. Im Falle
Herman Melville sind die Rezensionen seiner Bücher jedoch
interessanter als das Treiben der Verwandten, weil sie verraten, was er durchgemacht hat. Im Mahlstrom der Tatsachen
wirbelt die Biographie von Hershel Parker durch das Land
Melville und fördert so ziemlich alles zutage, was noch verborgen gewesen war. Die nachdrückliche, unbeirrte Entschlossenheit des Autors macht die Lektüre sogar zu einem wahren
Vergnügen. Ich habe das Buch immer und immer wieder zu
Rate gezogen und entrichte dem allwissenden Gelehrten hier-
mit meinen Dank.

Robertson-Lorant, Laurie. *Melville. A Biography.*
University of Massachusetts Press, 1996.
Taschenbuchausgabe.

Eine einbändige Biographie, 620 Seiten lang. Dieses Buch erschien kurz vor Parkers erstem Band. Es basiert ebenfalls auf
emsiger Recherche und ist ein bedeutsames, gut lesbares
Werk. Robertson-Lorant hat die große Familie im Griff – hier
findet sich alles wieder, die Picknicks, die Kopfschmerzen, die
Haushaltsführung inmitten all der Bücher, die eins ums
andere geschrieben wurden. Wo immer möglich, schlägt die
Autorin einen fröhlichen und vertrauten Ton an, und ich bin
ihr dankbar für ein Buch, dem ich mich viele Male zugewandt
habe.

Bücher über Melville und Bücher, die Kapitel über sein Werk enthalten

Die besten Kritiker und Literaturwissenschaftler haben über Melville geschrieben. Die hervorragende Qualität vieler Beiträge spricht für sich und ist zugleich ein Tribut an den lange verstorbenen Autor, den die Verfasser mit einem außerordentlichen Maß an Einfallsreichtum und Originalität studiert haben. Die folgende, stark gekürzte Liste erwähnt nur wenige der vorhandenen Schätze.

Aaron, Daniel. *The Unwritten War: American Writers and the Civil War*. Alfred A. Knopf, 1973.

Arvin, Newton. *Herman Melville*. Viking Press, 1957. Taschenbuchausgabe.

Chase, Richard. *Herman Melville: A Critical Study*. Macmillan, 1949.

– *Melville: A Collection of Critical Essays*. Prentice-Hall, 1962.

Fiedler, Leslie. *Love and Death in the American Novel*. Dalkey Archive edition. 1997. Taschenbuchausgabe.

Lawrence, D. H. *Studies in Classic American Literature*. Thomas Seltzer, 1923.

Matthiessen, F. O. *American Renaissance*. Oxford University Press, 1968. Taschenbuchausgabe.

Oates, Joyce Carol. *Where I've Been and Where I'm Going*. Penguin Group, 1999. Taschenbuchausgabe.

Updike, John. *Hugging the Shore*. Alfred A. Knopf, 1983.

Wood, James. *The Broken Estate*. Random House, 1999.

Der Verlag dankt für die freundliche Genehmigung des Abdrucks. Sollten trotz aufwändiger Recherche nicht alle Rechteinhaber ermittelt worden sein, bleiben berechtigte Ansprüche selbstverständlich gewahrt.